CRISTIANISMO DESCOMPLICADO

AUGUSTUS NICODEMUS

CRISTIANISMO DESCOMPLICADO

QUESTÕES DIFÍCEIS DA VIDA CRISTÃ
DE UM JEITO FÁCIL DE ENTENDER

Publicado por Editora Mundo Cristão

Os textos das referências bíblicas foram extraídos da *Almeida Revista e Atualizada*, 2ª ed. (RA), da Sociedade Bíblica do Brasil, salvo indicação específica.

CIP-Brasil. Catalogação na Publicação
Sindicato Nacional dos Editores de Livros, RJ

N537c

Nicodemus, Augustus
Cristianismo descomplicado: questões difíceis da vida cristã de um jeito fácil de entender / Augustus Nicodemus. - 1. ed. - São Paulo: Mundo Cristão, 2017.
224 p. ; 21 cm.

ISBN 978-85-433-0235-5

1. Vida cristã. 2. Cristianismo. 3. Igreja - Ensinamentos bíblicos. I. Título.

17-41025 CDD: 220.6
CDU: 27-276

Categoria: Igreja

Publicado no Brasil com todos os direitos reservados por:
Editora Mundo Cristão
Rua Antônio Carlos Tacconi, 69, São Paulo, SP, Brasil, CEP 04810-020
Telefone: (11) 2127-4147
www.mundocristao.com.br

1ª edição: setembro de 2017
6ª reimpressão: 2023

A Nátsan Matias, meu companheiro
de gravação do programa
Em poucas palavras,
que deu origem a este livro.

SUMÁRIO

AGRADECIMENTOS

Muita gente contribuiu para que este livro existisse.

O Conselho da Primeira Igreja Presbiteriana de Goiânia autorizou e bancou o programa de rádio *Em poucas palavras*, que deu origem a este livro.

O Seminário Presbiteriano Brasil Central abriu as portas de seus estúdios para que Nátsan Matias e eu gravássemos, semanalmente, os programas.

Centenas e centenas de seguidores mandaram pelas mídias sociais suas dúvidas e perguntas, que foram selecionadas por Nátsan Matias e depois respondidas no programa por mim.

Este livro não existiria se não fosse o Gustavo Carneiro de Mendonça. Certo dia, recebi um *e-mail* dele dizendo que era ouvinte do programa *Em poucas palavras* e que estava fazendo a transcrição de alguns dos programas, colocando-se à disposição para transcrever todos eles, caso eu tivesse interesse em publicar o material em formato de livro. Conversei com Nátsan Matias a respeito e achamos que seria uma boa ideia. Maurício Zágari, editor da Mundo Cristão, também achou.

Durante meses Gustavo trabalhou incansavelmente na transcrição dos programas. O resultado é a obra que o leitor tem em mãos.

A todos vocês, minha gratidão.

PREFÁCIO

No exato momento em que recebi o *e-mail* do pastor Augustus Nicodemus me convidando para ser o prefaciador deste livro, senti o peso da tarefa sobre os ombros. Se é uma honra ser convidado para escrever o prefácio de uma obra do irmão Augustus, também é uma grande responsabilidade. Afinal, trata-se de um dos mais gabaritados teólogos brasileiros, cuja voz é referência para dezenas de milhares de pessoas no Brasil e mesmo no exterior.

De imediato, pensei em enfatizar neste prefácio características do irmão Augustus, como sua ampla bagagem de conhecimentos bíblicos ou sua gentileza no trato interpessoal. Também me passou pela cabeça ressaltar aspectos não do indivíduo, mas de seu ministério, como as viagens missionárias ao sertão, as igrejas provenientes de seu trabalho evangelístico, ou a época em que pregava em praça pública e ia de porta em porta distribuindo literatura cristã. Cogitei sublinhar sua veia acadêmica, desenvolvida em países como África do Sul, Holanda e Estados Unidos e em instituições de ensino como a Universidade Presbiteriana Mackenzie. Ou, ainda, mencionar sua atividade pastoral em igrejas de diferentes cidades do país e do mundo.

No entanto, foi ao ler atentamente o conteúdo das páginas a seguir que me dei conta de que deveria focar as atenções em um lado não muito comentado da atuação do irmão Augustus: o de tradutor.

Sim, caso você nunca tenha percebido, Augustus Nicodemus é um exímio tradutor do *teologuês* para o português. Neste livro, ele faz o que de melhor um teólogo que segue o espírito da Reforma pode fazer para educar e edificar o povo de Deus: em vez de abordar questões difíceis da fé na hermética linguagem da academia, limitada ao clero ou a uma elite do pensamento, ele traduz para o entendimento do leitor comum questões que poderiam render densas dissertações, explicando assuntos complexos e, por vezes, controversos, numa linguagem acessível até para o recém-convertido.

Costumo dizer que falar bonito é bonito, mas falar de modo que mesmo as pessoas mais simples entendam é lindo. Se é assim, nesta obra o autor põe seu discurso no elevado patamar de lindeza que só a simplicidade é capaz de alcançar. Com isso, irmão Augustus caminha nas pegadas do reformador João Calvino, que defendeu a simplificação da transmissão do evangelho quando, em 1564, um mês antes de morrer, compartilhou com ministros de Genebra: "Ao ser tentado a requintes, resisti à tentação e sempre estudei a simplicidade". O autor honra, dessa maneira, o *modus operandi* da Reforma: levar ao entendimento do cidadão comum o que poderia ficar restrito às torres de marfim da *intelligentsia* teológica.

Se até bem pouco tempo atrás era necessário participar de uma conferência ou ler revistas e livros especializados para saber o que os principais pensadores cristãos tinham a dizer, nos últimos anos o fenômeno da Internet transportou o discurso dos eruditos ao pé do ouvido das massas. A era da comunicação virtual aproximou, como nunca antes, o púlpito dos bancos da igreja. Irmão Augustus adaptou-se rapidamente e com maestria a essa realidade e, hoje, com seu poder de tradução, é um dos intelectuais que mais alcançam o cristão comum no Brasil, por meio de redes sociais, vídeos, *podcasts* e outras ferramentas tecnológicas. Em suma, sua voz e sua letra tornaram-se frequentes na vida de pessoas que, ávidas por conhecimentos bíblicos, dispõem de um computador ou um *smartphone*.

Este livro é reflexo desse modo atual e singelo de proclamar e desvendar a fé cristã. O autor lança mão da boa tradução do *teologuês* para o português a fim de tratar de temas que dão nó nos neurônios de muitos cristãos, como ideologia de gênero, sofrimento, divórcio e novo casamento, submissão feminina, sexualidade sadia, possessão demoníaca e suicídio. Se a linguagem é simples e acessível, a profundidade teológica é a mesma de sempre. Com isso, irmão Augustus consegue quebrar as paredes da academia e levar a todos, sem restrições, ensinamentos bíblicos bem fundamentados na Palavra, de forma perfeitamente compreensível.

Lembro-me de certa vez em que irmão Augustus me disse, com educada ênfase, que preferia não ter a fotografia de seu rosto estampada na capa de seus livros, para não parecer autoglorificação do homem. Por isso, durante a leitura, é importante ter em mente, no melhor espírito reformado do *Soli Deo Gloria*, que este livro não é uma ode aos muitos predicados do escritor: acima de tudo, seu conteúdo aponta para Cristo. Se neste prefácio é meu papel destacar qualidades da obra e do autor, nas páginas adiante o papel do texto é falar sobre a obra de Cristo e sobre o Autor da vida. E é isso que ele faz.

A leitura de *Cristianismo descomplicado* vai ajudar a descomplicar o cristianismo aos seus olhos e a tornar menos difíceis as dificuldades da fé. Tenho certeza de que você chegará ao final da leitura sabendo transitar melhor nas searas mais espinhentas da vida cristã e de sua relação com a sociedade não cristã, por compreender melhor as Escrituras e sua aplicação prática no dia a dia.

Maurício Zágari
Escritor, teólogo, jornalista e editor

INTRODUÇÃO

Nenhuma religião no mundo levanta tantas questões para seus adeptos como o cristianismo histórico, conservador e bíblico. Existem várias razões para isso.

A primeira é que o cristianismo bíblico abrange todas as áreas da vida. Ele não se limita apenas às questões espirituais referentes ao além. Ao contrário, tem implicações que vão desde a escolha do cônjuge até a maneira como as autoridades devem governar este mundo. Não há uma única área da existência humana sobre a qual o cristianismo não tenha algo a dizer. Da criação de filhos até a maneira como devo me divertir e gastar meu dinheiro, da política até a minha maneira de me vestir. E não somente isso. O cristianismo também tem muito a dizer sobre o mundo em que vivemos e até sobre outra raça de seres racionais que compartilham esse planeta conosco, que são os anjos. Não é de se admirar, portanto, que os cristãos tenham muitas perguntas.

A segunda razão é que o cristianismo histórico se baseia num livro, a Bíblia. Esse livro é antigo, foi escrito em línguas que não são mais faladas em nossos dias e em culturas que não existem mais. Nem sempre o sentido pretendido pelos seus autores é claro. Muito embora os grandes temas centrais da Bíblia sejam suficientemente claros, várias passagens requerem mais pesquisa para serem entendidas. O que quero dizer é que o cristianismo se baseia num texto que requer interpretação. E, como os cristãos nem sempre conseguem concordar sobre qual interpretação é a certa, as perguntas aparecem.

A terceira razão é que o cristianismo histórico entende que este livro, a Bíblia, é a infalível e inerrante Palavra de Deus. Foi somente por meio dela que o Deus vivo, criador dos céus e da terra, revelou-se a nós. Portanto, suas afirmações e declarações sobre o homem, o mundo e o próprio Deus devem ser recebidas como verdade absoluta — o que de imediato já põe os cristãos em rota de colisão com outras religiões, com o ateísmo e o naturalismo que dominam hoje a ciência e demais áreas do saber humano. Como reconciliar as afirmações da Bíblia com os dogmas da razão, as descobertas científicas e os postulados da filosofia? Essas questões têm surgido e permanecido durante a longa história da Igreja.

A quarta razão é a natureza radical das reivindicações do cristianismo. O cristianismo bíblico se apresenta como sendo a única religião verdadeira; proclama Jesus Cristo como Deus e o único caminho de salvação que existe; afirma que ele não somente morreu numa cruz pelos pecados do homem como também ressuscitou dos mortos, literalmente, depois de três dias sepultado; retrata céu e inferno como realidades eternas depois da morte; e fala do retorno de Jesus Cristo a este mundo e do dia do juízo final. É natural que essas reivindicações despertem muitas perguntas, mesmo entre os que se consideram cristãos.

Quinta, o cristianismo histórico, especialmente depois da Reforma Protestante, incentiva seus seguidores a buscar respostas, a ler e estudar a Bíblia, a investigar a verdade e a não aceitar como final qualquer resposta que não possa ser provada pela Escritura. Cristãos estão sempre fazendo perguntas.

Mas, aqui, eu gostaria de mencionar ainda outro fator causador de dúvidas entre os cristãos, algo que não está relacionado com a natureza do cristianismo, mas com a nossa natureza. *Somos pecadores*. Estamos manchados pelo pecado, que corrompeu todas as nossas faculdades, como a vontade, a consciência, o arbítrio, o discernimento e a razão. Somos limitados no conhecimento das coisas de Deus. Na verdade, há uma inimizade natural em nosso coração a tudo o que diz respeito a Deus. Muitas perguntas decorrem da nossa falta de entendimento espiritual; outras tantas, da dureza do coração. Recusamo-nos a aceitar respostas que exigirão de nós arrependimento e mudança de vida. Casos assim não requerem um livro com respostas, mas quebrantamento e humildade.

Meu objetivo neste livro foi tentar responder, de maneira fácil, breve e direta, a muitas das perguntas que os cristãos têm e para as quais gostariam de uma resposta "em poucas palavras". Não pretendo esgotar os temas propostos. É bem possível que cada um deles exija um livro inteiro ou mais. Este livro pretende funcionar como uma espécie de primeiros-socorros para cristãos genuinamente aflitos com perguntas para as quais gostariam, ao menos, de uma direção.

Desejo uma boa leitura a todos.

1

DIFICULDADES DA FÉ

O QUE VEM DEPOIS DA MORTE?

É comum, quando se questiona o que acontece depois da morte, que as pessoas respondam: "Como vou saber? Ninguém nunca voltou para contar". A resposta bíblica é que existe, sim, alguém que foi e voltou: Jesus. Por essa razão, o que ele diz vir após a morte é uma fonte segura de informação (Mt 25.33-34,41; Jo 5.24). A Bíblia apresenta o testemunho de centenas de pessoas que estiveram com Jesus depois que ele ressuscitou dentre os mortos e apareceu a muita gente, nos quarenta dias em que permaneceu na terra entre a ressurreição e a ascensão aos céus (Cf. Mc 16.14; Lc 24.13-34; Jo 20.15-17; 26-29; 1Co 15.6).

Primeiro, é importante que lembremos a causa da morte: o pecado da humanidade. O homem foi feito para a comunhão com Deus, mas desobedeceu-lhe e virou-lhe as costas. Como resultado, o ser humano separou-se do Senhor, a fonte da vida. A morte, assim, entrou no mundo por causa de nossa desobediência (Rm 6.23). Pelo fato de sermos pecadores, todos estamos igualmente sujeitos a morrer; certamente, um dia a morte baterá à nossa porta. A grande questão sobre o que vem depois da morte é que nossa cultura oferece muitas respostas diferentes.

Há, por exemplo, a resposta dos materialistas, que negam a ressurreição de Jesus e a Bíblia. Para eles, a morte é o fim de tudo. Blecaute. A pergunta é: qual é a prova? Como sabem e têm certeza disso? Imagine que um materialista passou a vida toda acreditando que a morte é o ponto final e, assim que morre, descobre que há um pós-morte, uma realidade de sofrimento aguardando aqueles que nunca se preocuparam com Deus. É uma aposta complicada. A pessoa aposta sua eternidade na possibilidade de que depois da morte tudo se acabe. E se não acabar? Essa é a posição de uma minoria; a maioria das pessoas crê que existe algo no porvir.

Há, ainda, aqueles que falam em reencarnação. Para os tais, após a morte o espírito fica vagando pela terra ou transitando por outros mundos espirituais até receber a oportunidade de voltar em forma material. Eles acreditam que viverão uma nova vida, com uma nova identidade, sem, no entanto, ter lembranças da existência anterior. Vejo muita dificuldade em apoiar e fundamentar essa teoria, que se tornou popular especialmente pelos escritos de Allan Kardec. Todavia, à luz da Palavra de Deus não é possível concordar com a ideia de reencarnação, pois ela não coaduna com os ensinos de Cristo. Não há na Bíblia nenhuma menção a essa "segunda chance"; pelo contrário, quando o texto bíblico se refere à morte, diz que se trata do ponto final da existência terrena, à qual segue-se o juízo final. Para o bem ou para o mal, não há nenhuma perspectiva de retorno a este mundo (Hb 9.27). Além disso, se pudermos sempre reencarnar, obedecendo a um ciclo, por que Jesus Cristo morreria por nós? A Bíblia toda deixa claro que Jesus morreu na cruz para nos salvar, isto é, para nos livrar da morte, da condenação eterna, do justo juízo que nossos pecados merecem. Isso seria desnecessário, se o que viesse após a morte fosse a reencarnação.

Outros creem que a alma, depois da morte, entra em um estado de sono. Seria uma espécie de insensibilidade, mediante a qual a pessoa não se apercebe do que está acontecendo à sua volta, despertando somente no dia do juízo final. Essa visão, porém, é problemática, pois há na Bíblia referências a pessoas que estavam mortas, mas conscientes, e que se lembravam claramente de sua vida pregressa na terra. Na história do rico e de Lázaro (Lc 16.19-31), os dois personagens têm consciência do que passaram neste mundo. Além disso, em certa ocasião, Jesus disse que na eternidade nos assentaremos com Abraão, Isaque e Jacó (Mt 8.11). Como isso seria possível se eu não me lembrasse de quem são Abraão, Isaque e Jacó? O livro de Apocalipse contém, ainda, uma menção à alma dos mártires que cobram de Deus justiça aqui na terra contra aqueles que os martirizaram (Ap 6.9-11). Portanto, toda evidência bíblica aponta para o fato de que, depois da morte, a pessoa continua ciente de sua vida na terra e sobrevive em espírito consciente, com memória das coisas que aconteceram aqui. Por isso, a teoria do sono da alma não encontra fundamentação.

Existem também os que creem que há vida após a morte, mas que a felicidade é para todos. Creio que essa seja a teoria mais comum em nossa cultura. Muitas e muitas pessoas creem e afirmam algo como "Depois que todo mundo morre, vai para um lugar bom", "Fulano está em um lugar melhor" e "Foi para o andar de cima". Mas, quando tomamos conhecimento da história de vida do falecido, vemos que houve traições conjugais, negligência paterna, violência doméstica, desonestidade financeira e outras falhas de caráter. A morte parece fazer desse indivíduo um santo, com as pessoas amenizando seus muitos pecados. A posição mais correta e sensata é o que a Palavra de Deus nos ensina. A morte vem como resultado de nosso pecado. Nós morreremos e depararemos com Deus, uma vez que depois da morte segue-se o juízo. E há apenas duas possibilidades: a vida e a felicidade eternas ou a condenação e o sofrimento eternos.

A vida eterna é concedida àqueles que, nesta vida, se arrependem de seus pecados e recebem Jesus Cristo como seu único e suficiente Salvador. Não por causa de seus méritos ou obras, mas pela graça de Deus (Ef 2.8-9), concedida mediante o sacrifício vicário de Cristo na cruz. Essas pessoas, pela fé, recebem o perdão de Deus em Jesus e ganham a vida eterna. Depois da morte, elas já entram em estado de felicidade na presença de Deus. Como Jesus disse ao ladrão que morreu ao seu lado: "Hoje estarás comigo no paraíso" (Lc 23.43). Como aquele criminoso havia se arrependido de seus pecados e crido em Jesus, foi-lhe concedido entrar com Jesus no paraíso, nome que a Bíblia dá para o céu que nos espera. Isso é para aqueles que creem em Cristo como seu Senhor e Salvador.

O cristão deve encarar a morte como algo natural, resultante do pecado, mas sabendo que sua esperança está para além dela. Cristo afirmou: "Quem crer em mim não morrerá, mas viverá eternamente" (Jo 11.26). O que ele quis dizer é que tal pessoa não ficará morta, mas haverá de ressuscitar e viverá para sempre. Paulo escreveu: "Onde está, ó morte, a tua vitória? Onde está, ó morte, o teu aguilhão?" (1Co 15.55) porque a ressurreição tirou o poder da morte sobre a raça humana. O apóstolo também afirmou que "não somos como os demais que não têm esperança. Porque se crermos que Cristo ressuscitou dos mortos, Cristo haverá de trazer em sua vinda os que já morreram" (1Ts 4.13-14), isto é, o Senhor Jesus é a ressurreição e a vida. Somente ele é a nossa esperança.

A outra alternativa que a Bíblia nos apresenta à salvação é a condenação e o sofrimento eternos. O que poderia esperar a pessoa que viveu neste mundo sem considerar a presença amorosa e graciosa de Deus, não aceitou Cristo como seu Salvador, quebrou todos os mandamentos do Senhor e fez o que lhe vinha à mente? Ser promovida para qual destino? Essa pessoa colherá o pecado que plantou durante toda a vida. E o salário do pecado é a morte. Aquele que em vida semeou a semente do pecado e da desobediência colherá, certamente, condenação.

SAUL E A MÉDIUM DE EN-DOR

A Bíblia relata um episódio peculiar que gera muitas dúvidas entre os cristãos. O rei Saul está prestes a travar uma batalha contra os filisteus, e seu coração está pesado, com medo do enfrentamento. Ele tenta consultar Deus, mas só encontra o silêncio. Angustiado, Saul decide, então, consultar uma necromante que vivia na localidade de En-Dor. Ele se disfarça, vai à noite até ela e lhe pede que invoque o espírito do profeta Samuel dentre os mortos, a fim de tentar saber do futuro por meio dele. O que se segue é enigmático.

> Então, lhe disse a mulher: Quem te farei subir? Respondeu ele [Saul]: Faze-me subir Samuel. Vendo a mulher a Samuel, gritou em alta voz; e a mulher disse a Saul: Por que me enganaste? Pois tu mesmo és Saul. Respondeu-lhe o rei: Não temas; que vês? Então, a mulher respondeu a Saul: Vejo um deus que sobe da terra. Perguntou ele: Como é a sua figura? Respondeu ela: Vem subindo um ancião e está envolto numa capa. Entendendo Saul que era Samuel, inclinou-se com o rosto em terra e se prostrou. Samuel disse a Saul: Por que me inquietaste, fazendo-me subir? Então, disse Saul: Mui angustiado estou, porque os filisteus

guerreiam contra mim, e Deus se desviou de mim e já não me responde, nem pelo ministério dos profetas, nem por sonhos; por isso, te chamei para que me reveles o que devo fazer. Então, disse Samuel: Por que, pois, a mim me perguntas, visto que o SENHOR te desamparou e se fez teu inimigo? Porque o SENHOR fez para contigo como, por meu intermédio, ele te dissera; tirou o reino da tua mão e o deu ao teu companheiro Davi. Como tu não deste ouvidos à voz do SENHOR e não executaste o que ele, no furor da sua ira, ordenou contra Amaleque, por isso, o SENHOR te fez, hoje, isto. O SENHOR entregará também a Israel contigo nas mãos dos filisteus, e, amanhã, tu e teus filhos estareis comigo; e o acampamento de Israel o SENHOR entregará nas mãos dos filisteus. De súbito, caiu Saul estendido por terra e foi tomado de grande medo por causa das palavras de Samuel; e faltavam-lhe as forças, porque não comera pão todo aquele dia e toda aquela noite.

1Samuel 28.11-20

Para compreendermos o que ocorreu nesse episódio, precisamos começar lembrando o contexto em que ocorreu. Saul estava em guerra contra os filisteus e encontrava-se muito aflito porque estava perdendo. A essa altura, o rei de Israel havia desobedecido a Deus várias vezes e provocado a ira do Senhor, o que levou Deus a manter-se em silêncio quando procurado por Saul, que só o estava buscando por interesse pessoal. Saul decidiu, então, fazer algo que era proibido pela Lei de Moisés: consultar os mortos por meio da necromancia (Lv 19.31; Dt 18.10-12). Ele queria falar com o profeta Samuel, já falecido. É quando ocorre o episódio descrito nessa passagem.

Na sequência do relato bíblico, acontece exatamente como fora descrito por Samuel. Depois de dois ou três dias, Saul é cercado pelos filisteus, após seus filhos já terem morrido (1Sm 31.2). O rei, então, se vê pressionado e pede a um escudeiro para matá-lo com uma espada. O escudeiro se recusa e o próprio Saul se lança sobre a arma, suicidando-se (1Sm 31.4-6).

A grande questão é: quem de fato apareceu quando Samuel foi invocado, considerando que Deus proibiu tal prática? Três respostas costumam ser dadas a essa pergunta.

A primeira resposta assevera que foi Satanás quem apareceu. Ele teria aproveitado aquele momento para se manifestar como se fosse Samuel. Embora o diabo não pudesse prever o futuro, ele pôde vislumbrar o desfecho da guerra, em vista da situação. Essa é a posição da maioria dos cristãos, que creem nessa teoria por três motivos. Primeiro, eles não acreditam que Deus teria atendido Saul por meio de um método que o próprio Senhor condena. Segundo, se de fato fosse Samuel, isso contrariaria a afirmação bíblica de que mortos não podem voltar a se comunicar com os vivos. Terceiro, porque há um forte vínculo de Satanás com as práticas ocultistas.

O problema com essa interpretação é que o texto bíblico não menciona Satanás. Em nenhum momento se refere a ele como participante da cena. Em outras ocasiões, quando Satanás está agindo, a Bíblia deixa isso claro. É o caso da serpente do Éden ou de quando Pedro quis impedir Jesus de ir para a cruz, ao que o Senhor lhe disse: "Arreda, Satanás!" (Mt 16.22-23). Portanto, caso se tratasse de Satanás, nada impediria o autor bíblico de expor essa realidade. Nos próprios livros históricos, há narrativas em que o texto refere-se diretamente ao diabo, como em "E Satanás incitou a Davi a contar todo Israel" (1Cr 21.1) e no livro de Jó, que começa dizendo que Satanás apareceu e desafiou Deus a destruir o patriarca (Jó 1.11). A pergunta então permanece: se de fato era Satanás, por que o autor do texto não deixou isso claro?

A segunda interpretação é que a mulher seria uma charlatã. Ela, na verdade, não teria visto nada. E, como acontece muito nessas situações de invocações espíritas, a médium, percebendo que estava diante do rei Saul, começou a imitar Samuel. Assim, ela teria feito toda uma pantomima para simular a presença do profeta morto. Essa linha interpretativa também oferece um problema: o relato bíblico não nos dá o menor sinal disso. A mulher parece ter sido genuinamente apanhada de surpresa, e a descrição do que aconteceria dias depois é precisa.

A terceira interpretação diz que se tratava de Samuel mesmo. Em termos exegéticos, essa é a posição que mais se aproxima do relato bíblico. Veja estes versículos: "Vendo a mulher a Samuel, gritou em alta voz" (v. 12), "Entendendo Saul que era Samuel, inclinou-se com o rosto em terra e se prostrou" (v. 14), "Samuel disse a Saul" (v. 15), "Então, disse Samuel: Por que, pois, a mim me perguntas, visto que o Senhor te desamparou e se fez teu inimigo?" (v. 16). O escritor do livro de Samuel acreditava que quem aparecera naquela ocasião era mesmo o profeta Samuel. E essa é a minha posição.

Por que acredito que Deus fez isso? Para que o castigo de Saul fosse aumentado e ele fosse ainda mais reprovável diante de Deus. O fato de que Deus assim procedeu não quer dizer que é possível fazer isso hoje. Precisamos lembrar que o mesmo Deus que fez as normas pode suspendê-las, em caráter excepcional. A aparição de Moisés e Elias ao lado de Jesus, por ocasião da transfiguração, também exemplifica esse ponto. Moisés havia morrido e Elias fora levado ao céu. Eles entraram na glória celeste, estavam na presença de Deus. Contudo, o Senhor permitiu que eles, séculos depois, voltassem momentaneamente e aparecessem ao lado de Jesus, na presença dos discípulos: "Eis que dois varões falavam com ele: Moisés e Elias, os quais apareceram em glória e falavam da sua partida, que ele estava para cumprir em Jerusalém. Pedro e seus companheiros achavam-se premidos de sono; mas, conservando-se acordados, viram a sua glória e os dois varões que com ele estavam" (Lc 9.30-32). Foi uma ocasião única. Moisés e Elias representam a Lei e os Profetas. Era preciso que os discípulos vissem que Jesus era o Messias, o Filho de Deus anunciado na Lei e nos Profetas. Não temos mais nenhum registro bíblico de que Deus tenha permitido isso outra vez. Na verdade, somos ensinados que os mortos não voltam a este mundo.

Tentar consultar os mortos continua sendo proibido, assim como continua sendo impossível que os mortos falem com os vivos, como Jesus mesmo afirmou na história do rico e de Lázaro. Quando o rico, que estava no inferno, quis voltar para o mundo dos vivos, foi-lhe dito que os de lá não podiam mais passar para cá (Lc 16.26).

O ocorrido com Saul nessa passagem foi, portanto, uma exceção. Pois Deus mesmo faz as regras e as suspende de acordo com sua soberana vontade e com seus propósitos.

BLASFÊMIA CONTRA O ESPÍRITO SANTO

O único pecado que a Bíblia afirma não ter perdão é a blasfêmia contra o Espírito Santo, mencionada em Marcos 3.22-30 e Mateus 12.22-32. Mas o que significa exatamente esse pecado imperdoável?

Comecemos com a definição de "blasfêmia contra o Espírito Santo". A palavra *blasfemar* tem origem grega e quer dizer "falar mal", "falar contra". Blasfemar contra o Espírito Santo seria falar mal dessa pessoa da Trindade. Ou seja, condená-la, criticá-la ou tratá-la de forma inadequada a como se deve tratar a Deus. O Espírito Santo é Deus, enviado pelo Pai e pelo Filho para efetivar a nossa salvação. Ele habita em nós, nos santifica, nos esclarece e ilumina: é o nosso Mestre que nos guia nas palavras de Jesus. É o selo e penhor de nossa salvação (2Co 1.22; 5.5; Ef 1.13-14; 4.30). É por essa razão que esse é um pecado tão grave, uma vez que falar contra o Espírito Santo ou resistir-lhe é ir contra aquele que foi enviado da parte do Pai e do Filho para convencer-nos do pecado, da justiça e do juízo, levando-nos aos caminhos de Deus (Jo 16.8).

O episódio em que Jesus mencionou esse pecado tinha como contexto uma determinada ocasião em que, após o Senhor expulsar um demônio, os fariseus haviam dito que ele fizera aquilo pelo poder de Belzebu (Mt 12.24). Os fariseus estavam muito incomodados com os feitos de Cristo e, àquela altura, já haviam decidido eliminá-lo. Jesus atraía multidões para ouvi-lo pregar a verdadeira mensagem, aquela que os fariseus haviam deturpado, falseando os ensinamentos da religião que o Senhor havia revelado a Moisés no Antigo Testamento. Jesus, então, chegou na condição de um reformador, trazendo o verdadeiro significado das Escrituras e se apresentando como o Messias.

Essa postura ameaçava a posição que os fariseus e demais líderes religiosos ocupavam. Por essa razão, eles já haviam decidido que Jesus não era o Messias. Porém, isso trazia em si um grande problema: se Jesus não era o Messias esperado de Deus, como ele expulsava demônios? De onde vinha o poder que tinha para ressuscitar mortos, curar os doentes e fazer o bem de forma sobrenatural? Os fariseus chegaram, assim, à conclusão de que Jesus fazia essas coisas pelo poder de Satanás. Para eles, Jesus era um endemoniado. Queriam que todos cressem que ele realizava seus feitos extraordinários por meio do poder de Belzebu, o maioral dos demônios. Para os fariseus, se Jesus tinha algum poder, era satânico.

Contudo, como Jesus de fato realizava tais atos extraordinários pelo poder do Espírito Santo, do qual ele era cheio, pleno, como homem encarnado que era, então os fariseus, ao afirmarem que Jesus agia pelo poder do demônio, estavam falando contra o Espírito Santo. Aqueles homens atribuíam a Satanás uma obra que era, na verdade, do Espírito Santo. Tratava-se de uma rejeição deliberada, consciente, maldosa. Os fariseus agiam com dolo. Não se tratava de uma afirmação descuidada vinda de gente que estava nas trevas da ignorância. Os fariseus sabiam o que estavam afirmando perversamente quando disseram que Jesus agia com o poder do chefe dos demônios.

Foi nesse contexto que Jesus reagiu, dizendo que o que dissessem contra ele mesmo seria perdoado. Mas aquele que falasse mal do Espírito Santo, esse não teria perdão nem aqui nem no século vindouro (Mt 12.31). A blasfêmia contra o Espírito Santo é considerada um pecado para morte: uma vez praticado, não há retorno. O castigo é irreversível àqueles que chegaram a cometê-lo.

Essa passagem infelizmente tem sido usada de maneira distorcida e fora de contexto. Há líderes religiosos que usam esse texto para justificar seus falsos ensinos. Isso se dá quando eles dizem infindáveis bobagens à igreja, trazem falsas profecias, fazem coisas ridículas que envergonham o nome de Deus, ou tomam decisões dizendo que foram levados pelo Senhor e, caso alguém os questione sobre suas palavras ou atos, então logo se defendem, dizendo: "Você está blasfemando contra o Espírito Santo. Não há perdão". Também há o caso de crentes que são criados em igrejas pentecostais, em que há manifestações de variedade de línguas, profecias e outros dons — ou dizem que há. Quando algum crente começa a questionar se aquelas línguas são verdadeiramente as faladas pela inspiração de Deus ou se as profecias vieram da parte do Senhor, então acabam sendo rebatidos com as mesmas palavras: "Cuidado. Você está blasfemando contra o Espírito Santo".

Blasfemar contra o Espírito Santo não é nos questionarmos se determinada manifestação de fato vem de Deus. Não posso concordar com pessoas que não permitem que tais atos e palavras, que supostamente são da parte de Deus, sejam analisados e examinados à luz da Bíblia. A própria Escritura alerta contra falsos profetas e milagres, contra demônios operadores de sinais. Portanto, é preciso discernir para julgar o que vem de Deus ou não. A Bíblia também alerta que devemos examinar todas as coisas e reter o que é bom (1Ts 5.21).

Em vista disso, não pode ser considerado blasfêmia contra o Espírito Santo questionarmos se determinada pessoa é profeta mesmo, se o que ela afirma vem verdadeiramente da parte de Deus. Tais línguas são faladas de fato por obra do Espírito Santo? Essa visão ou revelação vem de fato da parte de Deus? As pessoas podem e devem ser livres para examinar. É necessário que seja assim. Caso contrário, multidões podem ser enganadas por um falso profeta, por ideias vindas diretamente da cabeça de alguém que se passa por homem ou mulher de Deus. A Bíblia nos manda analisar e ponderar tais manifestações à luz da sã doutrina ensinada por Cristo e pelos apóstolos (At 17.11).

Portanto, blasfemar contra o Espírito Santo certamente não é questionar essas manifestações. Seria, sim, blasfêmia questionar Jesus, como os fariseus fizeram. Dizer, por exemplo, que Jesus Cristo era um endemoniado, que não falava da parte de Deus, mas da parte das profundezas do inferno. Uma pessoa que chega a esse ponto, especialmente alguém que faz isso depois de ser exposto ao evangelho, virando-se contra Cristo e atribuindo-lhe acusações gravíssimas como as que mencionamos, atingiu um estado tão severo de incredulidade que não há chance de conversão e retorno à verdade. Ela trilhou uma estrada sem volta e se tornou apóstata.

É possível, sim, alguém cometer esse pecado em nossos dias. Há pessoas que chegaram a um ponto em que não há mais retorno. Zombam, escarnecem de nosso Salvador e estão entregues à própria sorte. Não creio que alguém que aja dessa maneira se converterá. Sua obstinação pela falsidade é tamanha que não pode mais voltar atrás, nem se arrepender. E, se essa pessoa estivesse dentro da igreja, estaria fingindo ser uma dentre os salvos.

Por fim, é preciso dizer ainda que há pessoas que pensam que blasfemaram contra o Espírito Santo quando, na verdade, simplesmente se questionaram a respeito de um profeta, de línguas faladas que foram atribuídas à inspiração divina, de um suposto milagre e coisas assim. Se é o seu caso, entenda que uma pessoa que está preocupada com a possibilidade de ter blasfemado contra o Espírito Santo provavelmente não blasfemou. Porque somente um crente de verdade ficaria preocupado com isso. O apóstata, pelo contrário, tem a consciência endurecida e, por isso, simplesmente não dá a mínima se blasfemou ou não.

SORTE E AZAR EXISTEM?

Não raramente ouvimos: "Hoje é meu dia! Estou com sorte". Em outras ocasiões: "Hoje não foi meu dia... acho que estou em uma maré de azar". Será que isso existe mesmo? O que a Bíblia diz sobre sorte ou azar? Antes de responder diretamente a essas questões, preciso explicar um pouco daquilo que chamamos de cosmovisões, isto é, maneiras de enxergar a realidade. Existem basicamente três.

A primeira é a cosmovisão materialista. Para as pessoas que enxergam a realidade desse modo, tudo o que existe é somente a matéria. O que existe é o que há. É o que vemos, o que tocamos e sentimos. Ou seja, não existe nada além da realidade física. Sentimentos e emoções, como amor e saudade, seriam apenas reações químicas que ocorrem no cérebro. O materialismo não crê em nenhuma realidade fora do mundo material.

Para os materialistas, não existe nada subjetivo. Para eles, não há sorte ou azar; todas as coisas acontecem de acordo com as leis que governam o mundo. O universo seria, então, um sistema fechado de causa e efeito, onde o determinismo seria o fator de comando. O que acontece e o que existe não poderiam ser atribuídos a sorte ou azar, mas seriam fruto de ações acumulativas ao longo do tempo que gerariam efeitos sobre pessoas e coisas em algum momento e lugar. Essa sequência de acontecimentos não teria propósito nem sentido. Tudo o que acontecesse ocorreria sem qualquer elaboração ou plano prévio, mas, simplesmente, porque determinada causa teria gerado determinada consequência.

A segunda é a cosmovisão maniqueísta. Para seus adeptos, a realidade é governada por duas realidades: o bem e o mal, forças em constante conflito que se opõem mutuamente, em plenas condições de igualdade. Uma força não é melhor ou maior que a outra. Nessa cosmovisão, em sua concepção ocidental de influência cristã, Deus representa o bem e o diabo representa o mal. Nos países orientais, o bem e o mal são representados por outras forças. Para essa forma de enxergar e interpretar a realidade, o homem acaba sendo um joguete disputado entre o bem e o mal. Quando o bem vence, coisas boas acontecem às pessoas. Quando o mal vence, então temos aquela realidade de "maré de azar".

A terceira cosmovisão é a cristã, completamente diferente das outras duas. Ela começa com a afirmação da realidade mais fundamental: existe um Deus. Esse Deus é o criador de todas as coisas. Ele é eterno, todo-poderoso, onisciente, onipresente, onipotente, sábio, bom, justo, verdadeiro e misericordioso. Deus governa o mundo de acordo com seus planos. Soberanamente, guia todas as coisas segundo seus propósitos elaborados antes mesmo que o mundo fosse criado.

Essa cosmovisão também se fundamenta na afirmação de que Deus nos fez conforme sua imagem e semelhança (Gn 1.26). Como resultado disso, todos podemos seguir em determinada direção ou em outra. Podemos fazer escolhas. Temos consciência e somos diretamente responsáveis por aquilo que fazemos.

Em outras palavras, na cosmovisão cristã entendemos que colhemos aquilo que plantamos (Gl 6.7). E tudo isso sob o governo do Deus que está acima de todas as coisas.

O Senhor está nos detalhes, governando sobre tudo e todos, mas nunca de uma maneira que exclua nossa responsabilidade. Assim, nós, cristãos, nunca poderemos falar de sorte como resultado de algo impessoal, que dependa da configuração das estrelas e dos planetas. Ou afirmar que algo ocorreu por causa de "bons fluidos" ou de "energias positivas". Isso porque não existe *nada* que não esteja sob o controle direto de Deus.

Ele é quem nos abençoa, ele é quem nos faz prosperar, ele é quem nos dá a vitória e é ele também que permite que determinadas coisas nos aconteçam, nem sempre com resultados visíveis agradáveis. Deus permite que acontecimentos desagradáveis nos acometam com o objetivo de nos corrigir, nos ensinar e nos fazer perceber que este mundo, bem como toda a sua realidade, é passageiro e de nada vale em comparação à realidade que está preparada para nós, de acordo com a Bíblia, na vida eterna, quando finalmente viveremos em plena comunhão com o próprio Deus.

Portanto, para nós, cristãos, não existe sorte nem azar. É inadmissível, à luz da Bíblia, acreditar que o mundo foi criado e é governado por forças cósmicas impessoais e caprichosas que fazem que tudo dê certo para nós em determinado dia e, no dia seguinte, fazem que tudo dê errado. Nós rejeitamos a ideia de que o mundo é guiado pelos astros, por *carma* de vidas passadas, por sorte e azar, pois tudo isso é frontalmente contrário à cosmovisão bíblica.

O que a Bíblia nos ensina é que toda a realidade é controlada e guiada por um Deus criador, todo-poderoso, que é bom o tempo todo. Esse Deus nos chama ao arrependimento e à mudança de vida, e nos deu seu Filho, Jesus Cristo, como pagamento pelos pecados daqueles que se arrependem. Por isso, precisamos sempre olhar a realidade da perspectiva de Deus. Em tudo o que nos acontece há um Deus por trás, que tudo vê, julga, abençoa e que está no controle de todas as coisas.

Muitas vezes, ocorre a desobediência à vontade de Deus, o que gera consequências para nossa vida. Por exemplo, o cidadão resolve beber e depois dirigir, acarretando o atropelamento de alguém. Ele não poderá dizer: "Que azar! Atropelei alguém!". Não se trata de azar. Ele está colhendo o resultado daquilo que plantou. Boa parte do que nos acontece é apenas resultado das ações e escolhas que fizemos previamente. A Bíblia diz que aquilo que o homem plantar, certamente colherá. Essa colheita é aqui neste mundo e também na vida eterna (Gl 6.7).

Claro que o Deus todo-poderoso poderia evitar, se assim quisesse, que determinadas coisas ruins acontecessem às pessoas. Todavia, de uma maneira que nós não conhecemos e não entendemos sempre, Deus usa eventos ruins para cumprir seu propósito. Pode ser um acidente ou uma doença que faz que a pessoa se arrependa de seus pecados e reconheça sua fragilidade e dependência de Deus. Esse indivíduo perceberá que errou e se voltará em arrependimento para Deus, recebendo Jesus como seu Senhor e Salvador. Assim, até mesmo nas coisas ruins que acontecem podemos ver a providência divina. É Deus guiando a história para o fim, abençoando e trazendo o bem para seu povo no final, muito embora, no processo, tenhamos dores e sofrimentos.

O universo não é governado por sorte ou azar ou por forças impessoais. Há um Deus no controle de tudo. Ele o conhece e sabe quais são os seus pensamentos. Espera que você se volte para ele e que o busque mediante o arrependimento de seus pecados.

SUPERSTIÇÕES

Bater na madeira três vezes para espantar mau presságio, evitar passar debaixo de escada para não atrair má sorte, quebrar espelhos e ganhar sete anos de azar, fugir de gatos pretos... Vivemos cercados por superstições e crendices populares. Até mesmo pessoas cultas e altamente educadas têm esses costumes. Por vezes nos perguntamos como as pessoas são capazes de acreditar nessas coisas. Muitos, inclusive, não querem acreditar na Bíblia, mas creem firmemente em tais superstições.

O problema com a superstição é a crença que está por trás dela. Quando a pessoa bate na madeira três vezes para não ter azar, o pensamento que orienta essa atitude é que existem forças ocultas do bem e do mal atuando na vida dos indivíduos de acordo com a prática de determinados costumes. E tais forças, malignas ou benignas, poderiam ser repelidas ou atraídas por meio desses rituais ou ideias, que chamamos de superstição. O cerne do problema jaz aí: o mundo é governado por essas forças do bem e do mal?

A Bíblia nos ensina que Deus é quem está por trás de *todos* os acontecimentos. Há um Criador dos céus e da terra que é bom, sábio, justo, verdadeiro, misericordioso, onisciente, onipotente, onipresente, eterno. Da mesma forma que esse Deus criou o mundo do nada, ele governa tudo o que trouxe à existência com a força de seu poder. Não atrairemos a atenção e o favor dele por batermos na madeira, pois o Senhor nunca se relaciona conosco tendo por base práticas antibíblicas como essas.

A Bíblia também nos ajuda a entender que boa parte dos problemas que acontecem são resultado de decisões que tomamos, de escolhas que fazemos. Se meus relacionamentos não têm sido bem-sucedidos, não devo supor que estou em uma "maré de azar" por ter cruzado o caminho de um gato preto ou ter passado debaixo de uma escada. Nada disso. As coisas estão dando errado em meus relacionamentos porque devo ter tomado uma decisão errada. Às vezes, eu é que não perdoei, não compreendi, não escutei, não fui firme quando deveria ter dito "não". Isso não tem a ver com sorte ou azar; cada pessoa colhe exatamente o que plantou, como está escrito na Escritura: "Aquilo que o homem plantar, isto certamente ceifará" (Gl 6.7).

Esse pensamento mostra como a cultura brasileira foi permeada por um "cristianismo" que não é o autêntico, o bíblico. Nossa formação é católica romana desde o descobrimento. Antes do catolicismo, havia as religiões indígenas, essencialmente místicas, voltadas para adoração e apaziguamento de forças da natureza. Aparentemente, o catolicismo não foi capaz de transmitir uma visão de mundo aos brasileiros que deixasse de fora a possibilidade de existência dessas forças. Na hora em que se fala em valorização de relíquias, veneração de imagens e mediação de santos, por exemplo, acaba-se abrindo um mundo espiritual em volta das pessoas levando-as a crer em forças irreais, inexistentes.

O evangelho bíblico nos diz que só há um poder nos céus: Deus. Diz, ainda, que os poderes malignos — Satanás, inclusive — estão debaixo da autoridade de Deus (Jó 1.12). Esses poderes malignos atuam com limites bem definidos e não conseguem fazer tudo o que querem. Não é questão de briga do bem contra o mal. Há somente um poder, que é o de Deus; todos os demais estão sujeitos a ele.

As pessoas perguntam: "Então, por que algumas coisas não dão certo?". A resposta é que as coisas dão errado, primeiro, em decorrência de nossos pecados, que são responsáveis diretamente por esse tipo de acontecimento negativo (Lm 3.39). Segundo, Deus permite que essas coisas aconteçam para nos lembrar de que precisamos de um redentor, de sua graça, de seu perdão. Mas o homem é tão corrompido em sua essência, sua mente e seu coração que, em vez de se voltar para Deus, arrependido dos pecados, crendo no Senhor Jesus como seu Salvador, prefere recorrer a crendices sem sentido. A realidade é que fazer ou deixar de fazer algumas dessas coisas não altera a vida em nada, nem para o bem nem para o mal. Esse é o problema das superstições. Elas deixam Deus de fora, negando sua ação soberana, e dão crédito ao pensamento de que há poderes ocultos caprichosos que nos farão mal caso não realizemos determinados rituais.

O mais triste é que há versões evangélicas dessas superstições. É possível encontrar no meio evangélico objetos ungidos que supostamente atraem bênçãos para seus donos, como "rosa ungida", sal grosso e "óleo ungido". Os adeptos dessas ideias creem que, se usarem tais objetos e ungirem outros, atrairão a atenção e o favor de Deus para si.

Qual é a diferença, portanto, entre um evangélico apegado a tais crenças e um descrente que se prende a outras superstições visando a atrair sorte para si? Não vejo diferença alguma, pois ambos têm crenças desprovidas de qualquer base bíblica.

Não há nada na Bíblia que nos informe que, se tivermos e utilizarmos objetos "ungidos", Deus nos abençoará.

Há outras crendices bem populares no meio evangélico, como a "quebra de maldição". Esse pensamento afirma que, se no passado, antes de conhecer Jesus, o indivíduo praticou ocultismo ou fez qualquer outra coisa errada, mesmo que creia em Cristo agora e tenha recebido o perdão de seus pecados e a vida eterna, ainda está preso a poderes malignos. Para desfazer tais supostas maldições, seria necessária uma cerimônia em que um líder pronuncie a quebra delas. Esse ato faria sua vida prosperar e não ficar mais presa às maldições. O problema é que tudo isso são práticas sem base bíblica, criadas pela cabeça do homem, devido ao pecado que distorce o entendimento de seu coração. A pessoa que tem essa crença deve se arrepender diante de Deus, pois é ele, e somente ele, quem irá abençoá-la, protegê-la, livrá-la do mal e conduzi-la nesta vida. Como diz a Palavra: "Entrega o teu caminho ao Senhor, confia nele, e o mais ele fará" (Sl 37.5).

JOGOS DE AZAR

A Bíblia não condena de forma explícita apostar dinheiro em jogos de azar. Apesar disso, pessoalmente sou contra essa prática. É comum pessoas me perguntarem: "Onde está na Bíblia 'não jogarás'?", e é claro que esse mandamento não existe de forma literal. Todavia, a ética cristã não é elaborada somente no que a Escritura ensina de maneira direta; também nos valemos do que pode ser legitimamente derivado e inferido do texto sagrado para construir nossa visão ética.

Há diversos princípios bíblicos que deveriam fazer o cristão hesitar antes de apostar em jogos de azar. Por exemplo, o trabalho é visto pela Bíblia como o caminho normal para ganharmos os recursos financeiros de que precisamos. O apóstolo Paulo escreveu: "Aquele que furtava não furte mais. Antes, fazendo com as mãos aquilo que é justo para que tenham com o que atender aos necessitados" (Ef 4.28) e "Aquele que não quer trabalhar que também não coma" (2Ts 3.10).

Quando a pessoa não pode trabalhar, por motivos que vão do desemprego até a incapacidade física, deve procurar outros meios de sustento, sempre buscando Deus por meio da oração, pois a Bíblia nos orienta a levar a ele todas as nossas ansiedades. A possibilidade de a situação do desempregado piorar ainda mais caso gaste seu pouco dinheiro em jogo é muito grande. Não será a loteria federal que resolverá o problema de desemprego.

Outro princípio que temos nas Escrituras é que tudo o que ganhamos pertence a Deus: "Do Senhor é a terra e sua plenitude" (Sl 24.1). Assim, na posição de mordomos, encarregados de gerir os bens que o Senhor nos concede nesta vida, não somos livres para usar o dinheiro como bem entendemos, mas, sim, para cumprir os propósitos de Deus, como suprir as necessidades da família (1Tm 5.8), compartilhar com os irmãos que têm necessidades e sustentar a obra do evangelho (2Co 9).

O Senhor usa o dinheiro para cumprir alguns importantes propósitos em nossa vida pessoal. Por exemplo, suprir minhas necessidades básicas, modelar o meu caráter, guiar-me em determinadas decisões e mostrar seu poder soberano de forma sobrenatural em meio a qualquer circunstância.

Biblicamente, a cobiça é pecado (Êx 20.17) e o amor ao dinheiro é a raiz de toda sorte de males (1Tm 6.10). O que ocorre é que a cobiça e o amor ao dinheiro são, na maior parte dos casos, as motivações básicas para as pessoas apostarem em jogos de azar. A atração e a tentação para ganhar dinheiro fácil fascinam a muitos, inclusive evangélicos. Jogar na loteria, por exemplo, é uma tentativa de obter recursos para adquirir bens e ter acesso a serviços que, pelo trabalho exercido atualmente, não seria possível. Isso demonstra um coração insatisfeito com aquilo que somos e temos.

Além disso, a Bíblia traz diversas advertências sobre dinheiro que podem ser aplicadas a jogos de azar. Por exemplo, Provérbios diz que o desejo de enriquecer rapidamente traz castigo (Pv 28.20); que o dinheiro que se ganha rapidamente se vai da mesma forma (Pv 13.11); e que a riqueza acumulada da forma errada prejudica a família (Pv 15.27).

É importante lembrar, por fim, que jogos de azar são responsáveis por muitos males sociais, emocionais e jurídicos na sociedade, como o empobrecimento. Algumas pessoas são cativadas pelo vício de jogar e fazem isso com regularidade. Como somente um ou poucos ganham, muitos passam a vida toda jogando sem ganhar nada. Não são poucos aqueles que perderam tudo o que tinham em jogos. Muitos pais de família pobres gastam o dinheiro da feira para jogar. O vício faz isso. Jogar é uma tentação que começa cedo a estimular uma compulsão entre crianças e jovens a adquirirem o hábito de arriscar a sorte. Milhares de jovens são viciados em jogo, algo que foi facilitado enormemente pela Internet.

E convém lembrar que apostar em jogos de azar é, para a maioria que não ganha, jogar dinheiro fora. As chances de ganhar na loteria são menores do que se supõe. Para se ter uma ideia, a probabilidade de uma pessoa ganhar na loteria é risível: se alguém comprar cinquenta bilhetes a cada semana, ganhará o prêmio principal uma vez a cada cinco mil anos. Essas são as possibilidades. Alguém poderia alegar que a quantia que se gasta na aposta é muito pequena. Concordo. Mas é uma questão de princípio, e não de quantidade. Quando estão em questão os princípios, um centavo vale tanto quanto um milhão.

Por fim, gostaria de abordar uma pergunta frequente que me fazem quando o assunto são jogos de azar: as igrejas devem receber ofertas e dízimos de dinheiro ganho em loteria? Minha posição é que não. Guardadas as devidas proporções, no Antigo Testamento o sacerdote era proibido de receber oferta de dinheiro ganho na prostituição. Já no Novo Testamento há o episódio em que Pedro recusou o dinheiro de Ananias e Safira porque fora dado de forma fraudulenta (At 5.2-3). Também no Novo Testamento, Simão, o mágico, queria comprar o dom do Espírito Santo, mas Pedro recusou (At 8.18-20).

Devemos usar o dinheiro de maneira sábia, correta e de modo a trazer edificação para os outros, sustento para a família e glória a Deus.

COMO POSSO IDENTIFICAR A VONTADE DE DEUS?

Todos gostaríamos de saber a vontade de Deus, porque cremos que ele existe e é um Deus pessoal, com um querer, um plano, um propósito. Quando falamos, então, sobre identificar sua vontade, nos referimos ao fato de que ele planejou todas as coisas para cada um de nós e para o mundo como um todo. Assim, o desejo de querer saber qual é a vontade de Deus é muito bom, pois demonstra a crença na existência do Criador e no fato de que sua vontade é boa, perfeita e agradável e muito melhor que a nossa.

Contudo, o querer de Deus é misterioso. Não podemos ler sua mente, acessar seu íntimo, descortinar seus planos por nós mesmos. Se o Senhor não tivesse manifestado e revelado seu querer, não nos seria possível em absoluto saber minimamente o que ele deseja de nós e o que deseja do mundo como um todo. Isso porque Deus é totalmente outro. Um ser eterno, invisível, todo-poderoso, onisciente, onipotente, onipresente, justo e perfeito em todos os seus caminhos. Nós, por outro lado, somos criaturas limitadas, finitas, com existência dependente daquele que nos criou. Não nos seria possível saber nada sobre esse Deus, mas ele, graciosamente, misericordiosamente, se revelou a nós.

Essa revelação foi dada primeiramente a um povo oriental escolhido, que conhecemos como a nação de Israel — descendentes de um nômade chamado Abraão. Deus, pois, se revelou àquele povo e escolheu-o. Disse-lhes seu nome e deu-lhes um propósito, uma missão. Fez-lhes promessas, das quais a mais importante era a de que, daquela nação eleita, viria alguém que seria o Salvador do mundo. Ele nos salvaria de nossos pecados e transgressões.

Mais tarde, quando encarnou o Salvador, descendente daquele povo, ele não veio somente realizar o plano do Senhor para nos salvar, mas também nos revelou mais da vontade e do reino de Deus. Ele falou mais sobre o ser de Deus, sua bondade e sua misericórdia. Contou parábolas belíssimas, como a do filho pródigo e a do bom samaritano, que ilustram muito bem quem Deus é e qual é o seu plano para nós. Jesus, o Salvador, também constituiu apóstolos, chamados especialmente por ele mesmo, para registrar essa revelação de Deus, que expressa a sua vontade, o seu querer.

Portanto, se alguém deseja identificar qual é a vontade de Deus, deve antes de tudo recorrer à Bíblia. Todavia, você não encontrará na Escritura uma revelação específica de Deus sobre assuntos como a cor da camisa que tem de vestir hoje. O que encontraremos é a revelação do caráter de Deus, de seu plano e sua vontade geral para a humanidade. Por exemplo, lendo a Bíblia percebemos que a vontade do Senhor é que sejamos honestos. Os apóstolos de Jesus também insistiram na importância de que trabalhássemos em atividades legais para garantir o próprio sustento (2Ts 3.8).

Em que isso me ajuda a saber a vontade de Deus? Suponhamos que um jovem tenha concluído seu curso universitário e esteja procurando uma oportunidade de emprego. Surgem propostas para colocação no mercado de trabalho, mas uma delas envolveria algum tipo de desonestidade. Ora, a pessoa que queira saber a vontade de Deus para sua vida profissional não precisará perguntar ao Senhor, pedindo-lhe uma revelação específica sobre isso. Esse jovem não deveria perguntar "Senhor, qual emprego desejas que eu aceite?". Se o que está em jogo é um trabalho que envolve desonestidade, mentira e abuso do próximo, enquanto o outro, por sua vez, consiste em um trabalho honesto, a pessoa já tem a resposta muito clara para a questão. Não precisará vir um anjo do céu trazendo uma revelação de Deus para dizer que a vontade divina é que ele aceite o emprego honesto.

Devemos nos perguntar sempre por que queremos saber qual é a vontade de Deus. A única razão pela qual devemos desejar conhecê-la é para obedecer a ele! De nada serve querer saber qual é a vontade de Deus para depois dizer "não quero segui-la" ou "isto não me convém neste momento".

Outro exemplo: o apóstolo Paulo escreveu que a mulher que ficar viúva é livre para casar com quem quiser, desde que seja no Senhor (1Co 7.39). Vê-se que o princípio é que o casamento deve ser no Senhor. Em linguagem bíblica, isso quer dizer, em poucas palavras, que crente tem de casar com crente. Só que Paulo diz que a mulher pode casar com quem quiser entre os irmãos. É como se Deus deixasse à nossa escolha, mas respeitando esse princípio. Assim, muito embora não tenhamos na Bíblia uma revelação específica da vontade Deus para todos os assuntos específicos, temos princípios que nos dão o norte para diversas situações da vida.

O referencial maior para nós é sempre a Palavra de Deus. Podemos nos aconselhar, mas precisamos sempre ter como critério absoluto os princípios da Bíblia, que expõem a vontade de nosso Pai. O crente que lê a Escritura, nela medita dia e noite (Sl 1.2) e procura viver seus princípios (Tg 1.22) estará mais próximo de viver com harmonia a vontade revelada de Deus.

POSSESSÃO DEMONÍACA

Conseguimos ver na Bíblia, especialmente no Novo Testamento, vários casos de pessoas que eram possuídas por demônios. Em nossos dias, vemos que algumas igrejas fazem questão de divulgar na mídia, por meio de seus programas de televisão e rádio, situações em que as pessoas são apresentadas como possessas. Essa situação faz surgir dúvidas: trata-se de situações reais ou não? Existem possessões demoníacas atualmente?

Minha posição é que existem, sim, possessões em nossos dias. Esse fato, porém, não significa que tudo o que vemos em certas igrejas e em seus programas de televisão seja realmente casos de pessoas possuídas por demônios. Precisamos ter uma compreensão bíblica a respeito desse assunto.

O que a Bíblia nos diz é que de fato existem espíritos maus, malignos. Não sabemos quantos há, mas a Bíblia nos diz que eles são numerosos, perversos, mal-intencionados e têm como alvo destruir o ser humano, afastá-lo do relacionamento com Deus, torná-lo infeliz e miserável tanto quanto lhes seja possível. Esse é o propósito desses demônios, que a Bíblia também chama de "espíritos imundos" (Lc 8.29), "espíritos malignos"

(Lc 8.2) e "anjos caídos" (Ap 12.7-9), além de utilizar nomes para grupos de seres demoníacos, como "principados", "potestades", "dominadores deste mundo tenebroso" e "hostes espirituais do mal" (Ef 6.12).

A origem dos demônios não é conhecida com precisão. Muito provavelmente, de acordo com Isaías 14 e Ezequiel 28, eram anjos que foram criados por Deus em estado de perfeição, beleza, graça, poder e glória, mas usaram de seu livre-arbítrio, de sua vontade, e resolveram se rebelar contra Deus, liderados por Satanás. Nessa rebelião ele atraiu um grande número de anjos para sua causa e, em razão disso, Deus os condenou eternamente ao estado de sofrimento e à exclusão de sua presença. Tais demônios estão em nosso mundo. São seres invisíveis que estão ao nosso redor, aguardando o momento em que serão lançados no lago de fogo e enxofre para sofrerem eternamente. Enquanto aguardam esse dia, em ato de revolta e rebelião contra Deus, fazem todo tipo de estrago que lhes for possível.

Se uma pessoa não está protegida por Cristo, fica sujeita a ser oprimida e possessa por demônios. As pessoas que não estão debaixo da proteção de Deus mediante Jesus, que não têm Cristo como seu Senhor e Salvador e que, portanto, não têm o Espírito Santo habitando em seu coração estão vulneráveis. Elas são como a casa varrida, limpa e organizada, mas que está com as janelas todas abertas, e as portas, destrancadas, o que permite que os demônios entrem.

De acordo com a Bíblia, os demônios podem exercer diferentes graus de influência sobre as pessoas. Podem fazer sugestões mentais (Mt 16.22-23) e emocionais (Jo 10.20), e inclinar uma pessoa a praticar o pecado, afundando-a cada vez mais em um abismo longe de Deus (1Co 10.13). Também podem oprimir um indivíduo, isto é, gerar uma angústia que consiste numa profunda dor mental e emocional, capaz de trazer confusão e paralisia à vida das pessoas. Os demônios podem também infligir doenças: Jesus certa vez curou uma mulher oprimida por um demônio havia dezoito anos (Lc 13.16). Há vários casos nos evangelhos em que Jesus curou surdos, mudos (Mc 7.31-37) e cegos (Mc 10.46-52) simplesmente expelindo os demônios que estavam neles. Tratava-se de doenças causadas por espíritos malignos. Portanto, todas essas situações são passíveis de acontecer por atos de demônios na vida daqueles que não estão em Cristo.

É preciso ressalvar: embora os demônios possam tentar oprimir um cristão verdadeiro, não podem possuí-lo. A possessão demoníaca ocorre quando um desses demônios entra na personalidade humana, tomando o controle de mente, coração, emoções e corpo, de tal maneira que tudo o que a pessoa fizer será em consequência dessa ação maligna.

Possessões por espíritos imundos podem ocorrer hoje. Mas nunca na vida de uma pessoa que pertence a Cristo. A Bíblia é muito clara sobre isso quando diz que maior é o que está em nós do que o que está no mundo (1Jo 4.4) e que o que é de Cristo o maligno não toca (1Jo 5.18). Importa lembrar que, quando uma pessoa se volta para Cristo, recebe o Espírito Santo (Rm 8.9; At 19.2), e onde o Espírito habita não há lugar para espíritos imundos. A pessoa que é templo do Espírito pode sofrer tentação e opressão, mas nunca de fato uma possessão.

Quando examinamos, por meio da mídia, as situações que ocorrem em algumas igrejas, ficamos um pouco desconfiados do que aquilo vem a ser realmente. Por exemplo, tomam uma pessoa supostamente endemoniada e a expõem, dando-lhe o microfone, perguntando qual o nome do tal demônio... Crente nenhum deveria dar microfone para demônio!

Da mesma forma, interromper o culto público a Deus para que uma pessoa supostamente possessa seja liberta é algo que não encontra base bíblica. Quando lemos os evangelhos e Atos, não vemos reunião de libertação de demônios. Os apóstolos não andavam buscando pessoas endemoniadas para expulsar os espíritos opressores, muito menos queriam conversa com eles. Geralmente, o encontro era sumário (At 8.6-8; 16.16-19). Quando Jesus encontrava alguém com tais espíritos, ele simplesmente dizia: "Sai!" (Mc 9.25). Os apóstolos, por sua vez, diziam: "Sai em nome de Jesus!" (Mt 7.21-23; Mc 16.17).

Somente uma única vez Jesus perguntou a um endemoniado, o gadareno: "Como é teu nome?", pelo que ouviu como resposta: "Legião". É como se os demônios dissessem: "Nós somos muitos, como a legião romana, com mais de cem soldados. De qual de nós queres saber o nome?". E Jesus nada mais pergunta (Mc 5.9). Os apóstolos não seguiram essa prática. Não há um único caso no livro de Atos ou em uma das cartas escritas pelos apóstolos em que se recomende esse tipo de exorcismo, ou seja, que se converse com demônios antes de expulsá-los. Perguntar o nome dos demônios, dando-lhes atenção, questionando sobre segredos do reino satânico... nada disso tem precedente bíblico.

Preguemos o evangelho. Se uma pessoa se arrepende de seus pecados e se converte, todas as maldições estão quebradas, há um rompimento com seu passado, e ela torna-se nova criatura. Como diz o apóstolo Paulo: "Se alguém está em Cristo, nova criatura é. Todas as coisas se passaram, eis que tudo se fez novo" (2Co 5.17). Este é o foco da igreja: a pregação do evangelho.

SUICÍDIO À LUZ DA BÍBLIA

A Organização Mundial da Saúde (OMS) destaca que o suicídio é a terceira maior causa de morte entre os jovens. O número de pessoas que tiram a própria vida aumentou cerca de 60% nos últimos 45 anos, sem contar as que tentaram o suicídio mas felizmente não tiveram sucesso. O que leva tanta gente ao suicídio? Imagino que as razões que levam as pessoas a atentar contra a própria vida tenham a ver com o desencanto com essa mesma vida. Por motivos vários e bastante particulares, a pessoa não encontra mais alegria de viver ou não vê mais motivo para seguir vivendo.

Esse ato pode ter diferentes motivações, como um desencanto romântico, problemas financeiros, questões ligadas à honra e à justiça, entre outras. Mas, quando tratamos dessa questão perante os jovens, notadamente vemos que muitas vezes se trata de falta de sentido da vida. Não é de estranhar. A sociedade ocidental de nossos dias está impregnada de ideias provenientes da filosofia niilista, que apregoa que a vida e o mundo não têm sentido e que não existe propósito algum nos acontecimentos, envolvam eles felicidade ou dor. Por essa visão, a vida não é mais que um desenrolar de acontecimentos sem direção ou propósito. O ser humano seria apenas o resultado de um longo processo evolutivo guiado por uma seleção natural cega, sem finalidade. O resultado normal e esperado é o ser humano ser muito pouco valorizado.

A humanidade, portanto, viveria apenas para comer, beber, dormir e se divertir, aproveitando o aqui e o agora. Quando as pessoas não se motivam mais para fazer nem mesmo isso, quase sempre dão cabo da própria vida. Não há prazer, finalidade ou razão para continuar caminhando sobre a terra. Acaba-se chegando à conclusão de que a dor terminaria com um ato que pusesse fim a esse intenso e grave sofrimento intelectual, espiritual e emocional.

O ser humano precisa de uma razão para viver, diferente dos animais. Não vemos nenhum passarinho pousado em um galho de árvore se perguntando qual o objetivo de sua existência. Ele apenas segue os instintos, como os de reprodução, alimentação e repouso. O ser humano é diferente. Biblicamente falando, foi feito à imagem e semelhança de Deus (Gn 1.26).

Portanto, o ser humano é um ente moral, dotado de autoconsciência, com determinação, arbítrio e volição, que necessita entender a razão de sua existência: por que e para que ele vive e o que vem após a morte. Quando não se tem essas respostas, a vida de fato perde o sentido, e a pessoa tende a ser tomada pelo vazio existencial.

Não há nenhuma passagem bíblica que trate do suicídio de forma objetiva, mas a Bíblia diz que tirar a vida é pecado. A Escritura também deixa claro que viver em desespero é falta de confiança em Deus e no que ele revelou em sua Palavra. A Bíblia ensina a encontrar razão e significado para a existência na pessoa de Jesus: ele é o caminho, a verdade e a vida (Jo 14.6). Portanto, à luz da Bíblia, o suicídio é pecado, pois configura uma das formas de quebrar o mandamento "Não matarás" (Êx 20.13).

É importante nos lembrarmos de que não se trata de um pecado imperdoável. Há aqueles que dizem que quem se suicida vai direto para o inferno. Pode ser que vá mesmo, mas não creio que seja pelo ato pecaminoso do suicídio em si. Acredito que mesmo uma pessoa que creia em Jesus Cristo como seu Senhor e Salvador pode vir a ser de tal maneira afligida pelas circunstâncias, pelo pecado que ainda habita em seu coração, pelo mundo ou por forte opressão demoníaca, que chegue ao ponto de tirar a própria vida. Há casos na Bíblia de homens de Deus que chegaram a desejar a morte, como o profeta Elias. Em determinado momento da vida, quando estava sendo fortemente perseguido pela rainha Jezabel, Elias pediu a morte a Deus (1Rs 19.3-4). O profeta Jonas, no episódio relatado no último capítulo de seu livro, também desejou a morte (Jn 4.5-9).

Claro que nada disso justifica a ideia do suicídio. Estou apenas dizendo que uma pessoa que crê no Senhor Jesus como Senhor e Salvador pode, ainda assim, ser muito tentada a cometer suicídio. Há casos na história recente de crentes em Jesus que, no auge do desespero, chegaram a tal ponto. Outro aspecto deve ser considerado: em alguns casos de suicídio, ficou comprovado que a pessoa estava tomando medicamentos que acabaram por induzi-la a esse tipo de atitude. Portanto, deve-se considerar também a possibilidade de alteração psicológica, em que há distorção da realidade. Quimicamente, seu cérebro e seus pensamentos podem estar alterados e prejudicados.

Se alguém está tentado a se suicidar, eu lhe diria para tirar do coração qualquer ideia nesse sentido, pois isso não vem de Deus e não representa o final do sofrimento. A Bíblia nos diz que depois da morte vem o juízo divino (Hb 9.27). Se tal pessoa não tem Cristo como seu Senhor e Salvador, terá de prestar contas a Deus de seus pecados no local que a Bíblia chama de inferno, descrito como um ambiente de dor e sofrimento. Assim, o suicídio, longe de ser um alívio e um meio de descanso para o sofrimento, pode ser a porta de entrada do sofrimento eterno. Portanto, eu asseguraria a essa pessoa que o suicídio não a livrará do sofrimento. Diria ainda que, qualquer que seja sua dor, existe um Deus que é maior que nossos problemas, Criador de todas as coisas e que nos dá, mediante seu Filho, Jesus Cristo, perdão, reconciliação, conforto e razão de viver.

Se você está pensando em se suicidar, lembre-se de qual é o verdadeiro caminho para o alívio da humanidade, explicitado nas palavras de Jesus: "Vinde a mim, todos vós que estais cansados e sobrecarregados, e eu vos aliviarei" (Mt 11.28).

CREMAR OU SEPULTAR?

A Escritura diz que do pó viemos e ao pó retornaremos (Gn 3.19). Diante disso, muitos se perguntam se seria pecado um cristão ser cremado ao morrer. Eu não creio que seja. Pecado é a quebra de uma lei de Deus. Não vejo nada na Bíblia que nos ordene a enterrar nossos mortos ou a cremá-los.

Creio, porém, que o sepultamento esteja mais de acordo com o espírito cristão e sua mentalidade, particularmente em relação ao que a Bíblia ensina sobre o valor do corpo e de sua ressurreição. Lembrando que Deus não tem nenhum problema em ressuscitar um corpo cremado, ou mesmo carbonizado, despedaçado ou afogado, há algumas ponderações interessantes que podem ser feitas.

A maior dificuldade que os cristãos têm em relação à cremação são as promessas que encontramos no Novo Testamento acerca da futura ressurreição dos mortos. Por exemplo, Paulo escreveu: "Porque o mesmo Senhor descerá do céu com alarido e com voz de arcanjo e com a trombeta de Deus. Os que morreram em Cristo ressuscitarão primeiro, depois nós, os que ficarmos vivos, seremos arrebatados juntamente com eles nas nuvens a encontrar o Senhor nos ares, assim, estaremos com o Senhor para sempre" (1Ts 4.16-17). A esperança cristã é a da ressurreição dentre os mortos, quando o Senhor fará nosso corpo voltar a viver, para que caminhemos com ele para sempre no novo céu e na nova terra. Portanto, ainda há um destino para nosso corpo, mesmo depois da morte: um futuro glorioso. Daí a estranheza da ideia da cremação para os cristãos.

Mas, se pensarmos, por exemplo, no corpo do apóstolo Paulo, depois de mais de dois mil anos de sepultamento, claro que já se desintegrou completamente. Nem o pó existe mais. O mesmo ocorre no caso da cremação. A diferença é que, na cremação, o efeito da desintegração é imediato e, no sepultamento, o corpo se desfaz ao longo dos séculos.

A cremação não representa nenhum obstáculo à ressurreição dos mortos. O Deus que tudo criou pode, do pó ou do nada, trazer à vida o corpo de todos que estiverem mortos, segundo sua vontade soberana. Nesse caso, transformando-os em corpos imortais, incorruptíveis, com os quais será possível entrar no novo céu e na nova terra.

Há um detalhe histórico a ser considerado. Ao que parece, a cremação muitas vezes foi praticada ao longo da história como uma tentativa de impedir a ressurreição dos cristãos. Há indícios de que essa prática foi trazida para o mundo ocidental como uma primeira tentativa do Império Romano de dissuadir os cristãos da época da crença de que ressuscitariam dos mortos, tal qual o Messias que adoravam. É verdade, contudo, que a cremação já era encontrada em outras culturas, como a cultura pagã *viking* e a hindu, nas quais a ordem era dar fim ao corpo.

À medida que os cristãos proclamavam com sucesso o evangelho de Cristo, sendo parte da mensagem o anúncio da ressurreição de Jesus e dos que creem nele, isso começou a incomodar os pagãos da época, que, por sua vez, levantaram a ideia de que, se destruíssem a crença na ressurreição, anulariam a esperança dos cristãos. Daí, então, começou a prática de cremação dos mortos com o intuito de abalar a confiança dos cristãos. Em tempos modernos, outra tentativa nesse mesmo sentido veio da Revolução Francesa. O Diretório Francês, no quinto ano da República, também adotou a prática da cremação, com o intuito de desmoralizar a crença dos cristãos na ressurreição do corpo. Portanto, ao que tudo indica, há uma relação histórica entre a cremação e a contestação da ideia da ressurreição dos mortos.

No judaísmo, berço da fé cristã, era prática enterrar os mortos, fosse na terra, fosse em túmulos de pedra. Temos exemplos no Antigo Testamento, como o da sepultura que Abraão comprou para repousar o corpo de Sara, e no Novo Testamento, como o local onde o corpo de Cristo foi posto após a crucificação. A cremação era vista no contexto do judaísmo com certo espanto e horror (Mt 27.59-60). O Senhor disse, por meio do profeta Amós: "Por três transgressões de Moabe, não retirarei o castigo, porque queimou os ossos do rei de Edom até os tornar em cal" (Am 2.1-2). Nessa passagem, Deus estava aborrecido com os moabitas porque, quando tomaram a área que pertencia aos edomitas, incineraram os corpos de tal forma que viraram cal.

Não é que entre os judeus não houvesse a prática da cremação. Um exemplo é o episódio de Acã, o soldado que tomou os despojos da cidade de Jericó e os escondeu. Com isso sobreveio o juízo de Deus sobre toda a nação. Seu castigo, que podemos conferir em Josué 7.15, é que ele deveria ser morto e, depois, queimado a fogo. De fato, tão logo foi identificado como o responsável pelo sumiço dos despojos, Acã foi morto a pedradas e seu corpo foi incinerado juntamente com o de toda a sua família. Vendo por esse prisma, ao que parece, a incineração do corpo seria um castigo. Por isso, entendo que não se trata propriamente de pecado, mas, sim, de uma prática que não está muito de acordo com o espírito da fé cristã.

BEBIDAS ALCOÓLICAS

O pecado relacionado às bebidas alcoólicas é o da embriaguez. Não há nenhuma passagem bíblica que sustente a total abstinência como regra geral para todos os cristãos, em todos os lugares, em todos os tempos, diferentemente de mandamentos como "não matarás", "não adulterarás" e "não dirás falso testemunho". Esses mandamentos, ao contrário, são claros e universais.

A questão de não tomar bebidas alcoólicas não é tão clara assim à luz da Bíblia. Portanto, não é possível, de forma inquestionável, dizer que é proibido beber nem que seja uma gota de álcool. No entanto, podemos inferir algumas lições diretamente do texto bíblico, como a questão de que a embriaguez é de fato pecaminosa, é um ato que contraria a Palavra de Deus. Há textos e mais textos que assim nos dizem, como episódios no Antigo Testamento de homens de Deus que abusaram da bebida e trouxeram consequências drásticas para sua família e a própria vida (Gn 9.20-25). O Novo Testamento, por sua vez, está cheio de injunções desse tipo, como: "Não vos embriagueis com vinho..." (Ef 5.18).

As Escrituras nos ensinam que o excesso de álcool transgride a vontade de Deus por uma razão muito simples: o cristão deve ser dominado somente pelo Espírito Santo. Suas palavras, ações, reações, emoções e decisões devem estar debaixo do controle somente dele. É a Deus que sujeitamos nossa alma, nossa mente e nosso coração. Quando uma pessoa ingere bebidas alcoólicas em excesso, está entregando a mente e o controle de sua vida à bebida, que certamente não produzirá o que o Espírito Santo produz em nós, como domínio próprio, amor, alegria e paciência. Pelo contrário. O álcool produzirá dissolução (Pv 20.1; 23.29-30).

A pessoa embriagada fará escolhas e tomará atitudes das quais se arrependerá depois. Poderá ofender pessoas e se fazer de tola na frente dos presentes, para não citar atitudes e posturas que podem causar a morte de terceiros e prejuízos materiais. A história nos oferece muitas estatísticas e relatos terríveis que comprovam a desgraça que é a pessoa deixar-se dominar pela bebida alcoólica.

A embriaguez promove a perda do bom senso, do discernimento e do domínio próprio, e faz que a pessoa peque contra Deus e contra outros, pondo em risco a integridade, a honra e a família. Embriaguez é claramente pecaminosa. Essa prática deve ser abolida de nosso meio. Diante disso, pessoas que não têm controle para beber somente um copo, meio copo ou uma taça deveriam evitar tais bebidas. Com efeito, os problemas com bebida começam com a ingestão de poucas quantidades de álcool.

Cristãos que têm grande apetite para o álcool deveriam pedir graça e misericórdia a fim de não ingerir o primeiro gole. Caso contrário, tais pessoas poderão cair na embriaguez por serem mais suscetíveis à atração da bebida. Por outro lado, há quem consiga com mais facilidade saber a hora certa de parar de beber. São irmãos que não possuem um grande apetite para a bebida, por isso conseguem apreciar um cálice e parar por aí, temendo ultrapassar seus limites.

Portanto, não se pode alegar nada contra a bebida alcoólica em si. O problema, repito, está nas pessoas que não possuem domínio próprio para a bebida. Não posso, biblicamente falando, afirmar que a abstinência total é o único caminho para todas as pessoas. Tenho base bíblica, sim, para dizer: vigie, seja cauteloso, não abuse, conheça seus limites, não vá além daquilo que você sabe não poder ir.

Neste ponto, há ainda outra ocasião em que a Bíblia fala contra a bebida alcoólica. Consiste em usar a liberdade que se tem para trazer prejuízo espiritual para outras pessoas. Em 1Coríntios 8—10, Paulo está tratando de uma situação parecida. Havia cristãos na igreja de Corinto que estavam ofendidos porque outros irmãos não viam problema nenhum em comer carnes de animais que haviam sido sacrificados nos altares dos templos pagãos em homenagem a algum deus. Esses irmãos que estavam ofendidos achavam que comer carne de um boi que fora sacrificado à deusa Diana seria praticar idolatria, pois havia uma ligação do ídolo com aquela carne. Paulo responde e diz que o problema não estava na carne em si, mas em saborear o alimento de modo a provocar escândalos. O raciocínio que se quer evitar é: "O irmão está comendo carne que sabemos que foi sacrificada a ídolos. Se ele pode, eu posso também". Fica claro que a consciência dessa pessoa não está preparada para isso. Caso coma dessa carne, vai se sentir culpada. Ela foi induzida ao engano de sua consciência por ver o outro irmão comendo aquele alimento.

Se fizermos uma analogia com a questão da bebida alcoólica, perceberemos que somos livres para tomar uma taça de vinho. Mas isso, feito publicamente, pode ser visto por aquele irmão que se escandaliza com o ato — e, assim, gerar escândalo e confusão. Quando minha liberdade causa tropeço na vida do meu irmão, devo me abster. É a lei do amor, que deve prevalecer sempre sobre minha liberdade.

Por fim, gostaria de abordar a alegação que fazem muitos cristãos de que o vinho mencionado na Bíblia não tinha teor alcoólico. Há até estudos que detalham esse ponto de vista interpretativo da Palavra. Assim, quando lemos na Bíblia que "o vinho alegra o coração" ou a passagem em que Jesus transformou água em vinho, quem adota essa teoria dirá que esse "vinho" era, na verdade, suco de uva não alcoólico.

Não nego que já naquela época havia uma grande quantidade de bebidas derivadas da uva. Sem dúvida havia o suco de uva e a fermentação ocorria em diferentes graus, que resultavam em bebidas com diferentes teores alcoólicos. Mas considero muito difícil que tais bebidas mencionadas nas Escrituras não se tratem de bebida alcoólica. Paulo não diria "Não vos embriagueis com vinho" se esse vinho não pudesse causar embriaguez.

A conclusão é que a Bíblia só proíbe a ingestão de bebidas alcoólicas quando ela traz embriaguez ou quando serve de tropeço para um irmão na fé.

LIVRE-SE DAS DROGAS

A Bíblia não fala nada a respeito do uso das mais diversas drogas que existem hoje em nossa sociedade, como cocaína, maconha e *crack*. Isso porque a droga mais comum utilizada nos tempos bíblicos era o álcool. Como vimos no texto anterior, a Bíblia reprova o consumo excessivo de bebidas alcoólicas, logo, o condena vício nessas substâncias. Em outras palavras, trata-se de pecado.

O que está por trás da proibição bíblica de não se deixar escravizar por vícios mediante drogas — no caso bíblico, especificamente o álcool — é que tal pessoa submete sua mente, seu coração e sua consciência a outro poder que não Deus. Na hora em que o indivíduo se entrega ao álcool, por exemplo, está entregando todo seu ser ao descontrole provocado pela bebida.

Fomos criados por e para Deus. Ele é quem deve nos controlar. O vício é uma espécie de idolatria, de entrega ao mal, em que a pessoa se oferece para que tais substâncias controlem sua vida por meio da escravização de sua vontade pela inconsciência. Mas aquele que é controlado por Deus tem domínio próprio.

Quando há entrega a esses outros "deuses" químicos, perde-se o controle e o poder de decisão consciente. Nos momentos de entorpecimento, todas as tendências pecaminosas do coração tornam-se exacerbadas e os freios da consciência são retirados. Pessoas nessas condições são capazes de cometer crimes, machucar os outros e dizer coisas terríveis. Portanto, a Bíblia encara qualquer forma de entorpecimento como pecado.

Apocalipse dá uma lista de pessoas que não entrarão no reino de Deus, entre elas os feiticeiros (Ap 21.7-8). A palavra grega traduzida por "feiticeiro" é *farmachoi*, que nos remete à palavra "farmácia", isto é, o local de onde vêm os fármacos. Fármacos são substâncias produzidas pelo homem que visam a intervir no funcionamento do organismo humano, para o bem ou para o mal. E por que a palavra é traduzida por "feiticeiro"? Quem lidava com drogas no antigo oriente eram exatamente as pessoas que lidavam com poções, mágicas, encantamentos, que praticavam as artes ocultas e manipulavam os fármacos. Hoje em dia, as pessoas que se utilizam desses fármacos, essas substâncias entorpecentes, não as usam necessariamente com a intenção de praticar ocultismo ou magias, mas esse era o contexto dos tempos bíblicos do oriente antigo no mundo greco-romano.

Muito embora a Bíblia não trate do problema do uso de drogas diretamente, a Palavra de Deus trata daquilo que seu uso provoca. Por que as pessoas se drogam? Por que elas bebem até perder a consciência e o domínio próprio? Por que fazem uso de entorpecentes como cocaína, *crack* e maconha? Acredito que isso se deve, entre outros fatores, ao desejo de experimentar algo que traga sentido à vida, que valide a sua existência, um tipo de experiência que dê ao indivíduo um tipo de significado ao viver. Muitas pessoas sedentas por algo que lhes preencha de sentido e propósito, estando perdidas em um vazio existencial, procuram alguma coisa que venha a satisfazê-las profundamente. As drogas prometem isso. Prometem enlevo, sensações extraordinárias, experiências sensoriais acima do comum, percepções que penetram em campos nunca antes sondados e conhecidos ou imaginados pelas pessoas.

Por que elas não conseguem se satisfazer naturalmente? Por que precisam de entorpecentes para encarar a realidade? Segundo a Bíblia, a razão desse desespero e do vazio existencial na vida das pessoas é o pecado, a desobediência à vontade revelada do Criador. Todos somos pecadores, quebramos a lei de Deus e fazemos aquilo que nos é dito para não fazer e que ofende a santidade de um Deus eternamente santo e justo. Além disso, deixamos de fazer o que o Senhor nos diz que é para fazer. O resultado dessa separação do Criador é exatamente esse vácuo em nossa alma. Quando nos desligamos de Deus, nossa vida perde o sentido, a razão de ser. Tais pessoas se tornam, assim, vulneráveis ao que promete preencher o vazio.

Tudo aquilo que as pessoas deveriam experimentar em Deus, por meio de seu amor e do cuidado diário, alimentando-se sempre de esperança, força e coragem, elas desejam experimentar nas drogas, crendo que isso lhes trará tais benefícios. Assim, a droga acaba se tornando um ídolo, um deus em que se confia para suprir os anseios mais profundos.

A resposta da Bíblia para a questão da droga não é a droga em si, mas o que está por trás do pensamento daqueles que a buscam. Quem está cheio do Espírito Santo não sente desejo nenhum de consumir substâncias que alteram a consciência, o comportamento ou a percepção. Em Cristo encontramos plena e real satisfação para nossa vida.

DOAÇÃO DE ÓRGÃOS

A Bíblia não oferece nenhuma resposta objetiva sobre a doação de órgãos de pessoas que morreram para outras que estão precisando de órgãos úteis e sadios. Precisamos lembrar que essa prática é nova, e o Novo Testamento foi escrito há dois mil anos. Portanto, não encontramos nas páginas da Escritura nenhuma preocupação da parte dos escritores bíblicos em oferecer orientações sobre o assunto.

O que podemos fazer para tentar responder a essa questão é procurar entender princípios gerais da Bíblia para os cuidados devidos ao corpo humano, bem como o que ele representa para nós. O corpo para o cristão é parte integral de sua personalidade. A Bíblia repudia a dicotomia entre espírito e corpo, como se fossem duas realidades separadas. A Escritura sempre fala do ser humano como um ente integral. O corpo foi criado por Deus, e a Bíblia não lança olhar para o corpo de forma derrogatória, como em algumas religiões nas quais, até para que possa se elevar espiritualmente, o adepto deve bater no corpo, infligir dor, mutilar-se, sangrar.

Biblicamente, o corpo não é visto como empecilho para o crescimento espiritual. Na verdade, ele é compreendido pelo cristianismo como templo do Espírito Santo, o local onde este habita. Paulo nos diz que Cristo também comprou nosso corpo por meio de seu sangue na cruz do Calvário (1Co 6.19-20). A Bíblia afirma que o corpo terá um propósito glorioso, pois haverá de ser ressuscitado. E com esse corpo ressuscitado viveremos no novo céu e na nova terra. Portanto, o cristianismo tem uma visão elevada do corpo.

No entanto, a Bíblia não tem uma visão mística do corpo, como se as partes dele estivessem de tal forma ligadas à alma que uma não poderia viver sem a outra. A Escritura nos vê como uma unidade: lança olhar para o corpo como alvo da redenção que Cristo veio executar e, em contrapartida, estabelece que a ligação da alma e do corpo não é tão indissolúvel a ponto de que o que ocorrer com o corpo também acontecerá com a alma. Tanto é assim que, na morte, o corpo se dissolverá, mas a alma sobreviverá.

Portanto, o que acontece com os órgãos do corpo não afetará a alma. A morte separa a parte corpórea da parte espiritual do ser humano, e essas partes seguirão caminhos independentes, sem qualquer relação um com o outro. Por isso, a partir dessa perspectiva, doar ou receber o coração, o pulmão, o rim ou as córneas não implicará nenhuma consequência espiritual para o doador ou para o recebedor. Do ponto de vista bíblico, não há implicações.

Outra questão a ser considerada é que algumas pessoas receiam mutilar o corpo intencionalmente após a morte, por causa da ressurreição. Elas se questionam se o fato de a pessoa não ter mais uma parte do corpo poderia complicar de alguma forma a situação da ressurreição. Do ponto de vista bíblico, isso não apresenta nenhum problema, pois o Deus que do nada criou tudo o que existe tem poder suficiente para elaborar um corpo glorioso completo na ressurreição. Não será a doação de órgãos de um cristão que faleceu que impedirá a ressurreição do seu corpo completo, perfeito, por ato soberano de Deus. O corpo será incorruptível, sem pecado, sem mancha e não mais sujeito à morte.

Pessoalmente eu diria que o cristianismo se inclina para o lado da doação. Considerando que nosso Salvador se deu na cruz por nós, ofereceu seu corpo para ser castigado por nós; considerando também o princípio do amor ao próximo, mesmo com a renúncia de si mesmo, podemos concluir que o espírito cristão é mais condizente com a doação de órgãos. Mas isso, claro, não é obrigatório. Não peca se doar, como também não peca se deixar de doar. Quem acha que não deve, então não faça. Mas, se alguém não vê qualquer empecilho de consciência, então doe, pois ajudará pessoas que estão precisando.

A conclusão é que a doação de órgãos está relacionada à liberdade de consciência do cristão. Não há uma regra explícita para isso na Palavra de Deus.

CRIANÇAS SÃO SALVAS?

A Bíblia descreve a seguinte cena da vida de Cristo: "Trouxeram-lhe, então, algumas crianças, para que ele lhes impusesse as mãos e orasse; mas os discípulos os repreendiam. Jesus, porém, disse: Deixai os pequeninos, não os embaraceis de vir a mim, porque dos tais é o reino dos céus" (Mt 19.13-14). Existe certa controvérsia sobre o significado exato dessa afirmação. Será que dizer que o reino dos céus é das crianças significa que uma criança é inocente e merece a salvação?

A teologia católica apostólica romana tenta resolver essa questão com a hipótese do *limbus infantus*. Em contrapartida, há quem diga que mesmo a criança recém-nascida é pecadora e, por isso, se morre sem receber Jesus como Senhor e Salvador, vai para o inferno. Os teólogos reformados também têm sua visão sobre o tema, à luz da Bíblia.

Não existe, de fato, ninguém inocente diante de Deus, que não nasça manchado pelo pecado. A Bíblia nos diz que o primeiro casal criado por Deus, Adão e Eva, desobedeceu e, ao fazê-lo, precipitou toda a sua descendência no pecado. Com isso, pelo pecado de um, entrou a morte no mundo, e a morte passou a todos porque todos pecaram (Rm 5.12). Isso significa que nossos filhos já nascem como parte dessa raça humana culpada, pecadora, manchada pelo pecado.

Não há, nesse sentido, criança inocente. Somos filhos da ira, da desobediência. Nossos filhos herdaram a corrupção do pecado original, que vem sendo transmitida de geração em geração desde Adão até os dias de hoje. Eles já nascem com a inclinação pecaminosa latente, presente em seu coração. O que acontece é que decorrerá algum tempo até que eles pequem conscientemente, até que tomem a decisão deliberada de desobedecer a Deus. Ninguém sabe dizer em que momento preciso uma criança começa a pecar deliberadamente. Isso varia de criança a criança. Mas nenhuma tem mérito diante de Deus. Todos pecaram. Se Deus quisesse condenar a raça humana inteira, as crianças não seriam exceção.

Os reformados têm duas visões distintas para essa questão. Há aqueles que creem que, quando a criança morre, só entrará no céu caso seja eleita. Assim, como nem todos são eleitos, pode ocorrer de uma criança de poucos dias de idade, não tendo sido eleita por Deus, vir a morrer e ser condenada. Há outro grupo, no qual eu me insiro, que crê que toda criança que morre antes da idade da razão — isto é, antes de adentrar a fase da vida em que peca conscientemente — é eleita. Cristo, na cruz do Calvário, levou sobre si os pecados dessas crianças. Ela, então, será salva, não porque seja inocente, haja vista que o pecado original está presente em seu ser desde o nascimento, mas porque Jesus pagou o preço de salvação até mesmo por seu pecado original. Tudo isso pela graça e não por mérito, não por ser a criança "inocente", como tanto se afirma.

Precisamos lembrar sempre de um detalhe: Deus é justo, é verdade, é santo e odeia o pecado, mas também é misericordioso e bom. Quando tratamos de questões difíceis como essa, porque faltam mais informações bíblicas, devemos nos lembrar de quem é nosso Deus. O caso da salvação das crianças assemelha-se ao caso da salvação dos que nunca ouviram o evangelho. Muitas pessoas me perguntam sobre o que ocorre a quem nunca ouviu as boas-novas de Cristo. A questão precisa ser respondida novamente sob a perspectiva de que não há ninguém inocente diante de Deus. Mesmo sem ouvir a pregação do evangelho, tal indivíduo quebrou a lei de Deus que está inscrita em seu coração.

Consolo-me com a ideia de que mesmo que eu não saiba com certeza sobre a salvação de alguém que nunca ouviu o evangelho, Deus é justo. Ele não tratará ninguém de forma incorreta e desleal. Ele não tem prazer no sofrimento da raça humana. O Senhor é misericordioso e bom. Em última instância, quando me pergunto o que Deus fará nesses casos, descanso meu coração e lembro-me de que ele fará o que é certo. Podemos sempre confiar em sua decisão.

Podemos não ter respostas para todas as questões, mas o Deus que está no controle da história, do mundo, dos acontecimentos e dos fatos é justo, verdadeiro, amoroso e bom. No final, nós veremos que ele não cometeu nenhuma injustiça, seja no caso das crianças, seja no caso daqueles que nunca ouviram o evangelho, seja no caso das pessoas sem pleno funcionamento das faculdades mentais. Portanto, não haverá possibilidade de que esse Deus aja com injustiça.

POSSO OUVIR MÚSICA DO MUNDO?

Sempre é bom começarmos definindo os termos, a fim de esclarecer com exatidão sobre o que estamos falando. O que é "música do mundo"? Seria a música feita por não cristãos? Se essa é a característica da música vinda do mundo, para sermos coerentes, não deveríamos usar nada que seja feito por um descrente. Quando vamos a uma loja, compramos roupas feitas por não cristãos. Seriam elas, então, "roupas do mundo"? Ou um cachorro-quente feito por um ateu nos seria proibido por ser um "alimento do mundo"? Para aplicar essa lógica à música, deveríamos ter a coerência de aplicá-la a tudo que consumimos ou usamos no dia a dia. Afinal, várias coisas de que precisamos para atender nossas necessidades diárias na verdade não foram feitas para a glória de Deus.

Houve grupos na história da Igreja que, por ter essa compreensão que acabamos de mencionar, optaram por se retirar do convívio da sociedade. Compravam propriedades enormes, moravam juntos, tinham suas fazendas, faziam as próprias roupas, manufaturavam seus alimentos e não tinham contato nenhum com o mundo exterior. Creio que essa seja uma posição extremada e que não se sustenta, porque é incoerente a pessoa não ouvir "música do mundo" pelo fato de ela ter sido composta por um descrente, mas consumir uma série de itens feitos por não cristãos.

Há quem defina "música do mundo" em relação ao ritmo. *Rock*, samba, *funk*, *hip hop*, sertanejo e outros. Esse pensamento provoca outro problema. Não há como definir um ritmo como santo e outro como mundano. Todos os ritmos vêm de Deus, porém não creio que todo ritmo seja apropriado para louvar a Deus. Não vejo problema com um ritmo em si, mas sabemos que os ritmos estão relacionados a determinados comportamentos. Dependendo do ritmo, as pessoas terão reações diferentes. Quando pensamos no culto a Deus, em sua adoração pública, ambiente em que estamos para também ler a Palavra de Deus e refletir sobre ela, é muito claro que não é qualquer ritmo musical que contribuirá para que nosso estado emocional e espiritual se torne receptivo à pregação.

Eu pessoalmente gosto de *rock*. Sou da geração que cresceu ouvindo Rolling Stones, The Beatles, B.B. King, Eric Clapton. Escuto todos esses como diversão e lazer. O Eric Clapton, de quem eu gosto, compôs uma música chamada *Cocaine* ("Cocaína") que faz apologia a essa droga. Por essa razão, eu não escuto essa música.

Aprecio John Mayer, que compôs muitas músicas cujas letras não estão de acordo com os princípios pelos quais eu vivo e que professo. Outras, porém, não ofendem em nada o evangelho. Uma música chamada *Daughters* ("Filhas"), por exemplo, versa sobre o comportamento das moças e dos pais. Em outra canção, ele reflete como o tempo está correndo como um trem e ele não consegue parar esse desenrolar acelerado do tempo. Esses são exemplos da alma do cantor que ainda refletem traços da imagem e semelhança de Deus. Músicas como essas jamais devem ser trazidas para o culto público, embora não firam os princípios bíblicos. Músicas congregacionais têm outro propósito; por isso, é preciso haver uma seleção do que será tocado no culto.

Penso que a melhor definição de "música do mundo" não tem a ver com a questão da autoria, mas, sim, com o conteúdo. A música será do mundo se contiver uma letra que contrarie os valores de Deus e os afronte. Por exemplo, as músicas que falam de traição, ciúmes, ódio, sexo sem compromisso conjugal, desejo de vingança ou de morrer. Se a música é uma apologia a tais sentimentos e ações, então, nesse sentido, ela é de fato mundana, do mundo. "Mundo" aqui é entendido como o sistema de valores que se opõem à verdade de Deus conforme revelada na Escritura.

A Bíblia diz que devemos pensar em tudo aquilo que é justo, bom, agradável, puro (Fp 4.8). Se fico ouvindo músicas que proclamam traições, adultérios e todo o sistema de vida que faz parte de uma sociedade materialista, então, aí sim, trata-se de música do mundo. É música que expressa aquilo que de fato o mundo pensa.

Nesse mesmo sentido, devemos considerar como "música do mundo" muita música *gospel*. Há inúmeros erros doutrinários graves espalhados nas músicas ditas evangélicas de hoje. Pecam contra Deus do mesmo jeito. Heresia é pecado tanto quanto adultério. Se música do mundo é aquela que promove o adultério como sendo algo louvável — ou pelo menos sem qualquer gravidade ou importância —, então "do mundo" também será aquela música *gospel* que promove valores que não estão de acordo com a Palavra de Deus.

A verdade é que, pensando em música *gospel*, evangélica, precisamos de compositores de qualidade e com boa teologia. Essa combinação é fundamental para que tenhamos músicas que sirvam para adoração, edificação da mente e do coração. Prefiro ouvir uma boa música tocada por um não cristão que fale do bom, do belo e do verdadeiro a ouvir música *gospel* com heresias e erros doutrinários diversos que podem levar o povo de Deus ao erro.

Portanto, podemos, sim, escutar música que não tenha conteúdo expressamente evangélico e que não foi feita para ser usada no culto, mas somente se a canção não fizer apologia ao pecado e a comportamentos que são contrários à Palavra de Deus. Porque esse tipo de música é, obviamente, mundano.

VOTOS A DEUS

É comum entre alguns grupos de cristãos evangélicos a prática do voto, isto é, quando alguém diz a Deus algo como "Se o Senhor me abençoar, farei isso ou aquilo" e "Se eu for atendido nesta questão, prometo me dedicar mais à tua obra". Muitos justificam essa prática com casos bíblicos como o de Ana, que prometeu a Deus que, se ela concebesse um filho, este serviria ao Senhor. O ato de votar a Deus, porém, desperta críticas de muitos cristãos, que enxergam nisso semelhanças com a prática das promessas dos católicos romanos. Essa questão não é fácil, e creio que a melhor maneira de abordar o assunto seja lembrando quem é Deus.

Nosso Deus é o criador dos céus e da terra. Ele é o Deus que, por meio de sua ação no mundo, supre as necessidades diárias de suas criaturas. E ele faz isso mesmo que não lhe peçamos. Se Deus fosse nos dar apenas o que lhe pedimos em oração, já teríamos morrido há muito tempo. Dele vêm a saúde, a liberdade, o trabalho e as condições para que cresçamos, aprendamos, nos satisfaçamos, nos realizemos, façamos boas amizades, tenhamos lazer e alegria. Ele é muito bom conosco.

A Bíblia diz que as obras de Deus estão sobre toda sua criação e que ele abre sua mão e satisfaz os desejos daqueles que o buscam. Também diz que ele sustenta os animais no campo, as árvores e o próprio ser humano (Sl 104.13-18). Em contrapartida, esse Deus que nos criou para a sua glória, desejando que sejamos seu povo, quer que levemos até ele todas as nossas necessidades a fim de que todos aprendam a depender dele (Fl 4.6).

Nesse contexto, é natural que o crente se achegue a Deus todos os dias e suplique por suas necessidades. Não seria estranho, então, que, em determinado momento da vida, ele desejasse algo lícito, justo e verdadeiro, orando em súplica humilde, e dissesse a Deus que, caso seu pedido fosse atendido, essa pessoa consagraria sua vida para sempre ao Senhor de alguma forma. Não vejo problema algum com essa questão. A pessoa está movida por angústia na alma, e o que ela deseja é algo lícito. Há na Bíblia relatos de situações de extrema aflição em que o crente faz um voto a Deus. Naturalmente, nesse caso, a pessoa terá de, necessariamente, cumprir, pois de Deus não se zomba (Ec 5.4-5).

Essas situações são diferentes das práticas que se vê em algumas igrejas em que quem vota está tentando barganhar com Deus. Por exemplo, quando diz "Senhor, ajuda-me a melhorar meu salário, pois em retribuição darei o *trízimo* à igreja". Ou, então, "Senhor, dá-me o carro do ano e então darei à igreja o equivalente à primeira parcela do valor a pagar". Com essas ilustrações quero dizer que, enquanto os exemplos bíblicos são relacionados com necessidades espirituais profundas, ligados diretamente à glória de Deus ou à salvação da vida de pessoas, o que vemos hoje em dia são votos feitos, em geral, por gente consumista, interessada em barganhar com Deus para ter uma vida melhor ou acumular riquezas. A Bíblia diz que não temos porque não pedimos e não recebemos porque pedimos mal, para gastar com nossos prazeres (Tg 4.2-3). Portanto, em muitos casos é melhor que o suplicante não receba o que deseja.

A diferença entre os votos lícitos e as promessas feitas por católicos quando pedem algo a Deus em troca de subirem escadas de joelhos ou algo assim está no que se promete ao Senhor. Se um indivíduo promete a Deus o que a Bíblia não nos ordena pedir, não faz sentido a súplica. O que está por trás de uma promessa como essa é a ideia de que a angústia, o sofrimento e a autoflagelação são meritórias e compram o favor de Deus. É como se o Senhor, na visão desse pagador de promessa, dissesse: "Essa pessoa realmente quer o que está me pedindo. Veja só o que ela está passando para conseguir!". Há um deslocamento do pensamento de gratidão a Deus pela bênção recebida para o convencimento de Deus de que tal pessoa merece o que pede porque sofreu muito e, por mérito próprio, merece obter o que pede. Mas absolutamente não é isso o que a Bíblia diz! Não é essa a condição para que Deus nos dê as coisas de que necessitamos!

Deus nos dá as coisas de graça. Ele tem prazer em nos conceder o que precisamos. Como o apóstolo Paulo esclarece, se ele não nos negou seu Filho, quanto mais as demais coisas (Rm 8.32). E Deus não é o tipo de pai que, quando o filho lhe pede pão, lhe dá uma pedra, ou quando lhe pede peixe, lhe dá uma serpente (Lc 11.11). Essa é a diferença. No caso das promessas católicas, a impressão que temos é que a pessoa deseja comprar o favor de Deus por meio do seu sofrimento pessoal, como se fosse meritório ou vicário. Segundo a Bíblia, Cristo já enfrentou todo tipo de sofrimento possível e imaginável para que tenhamos acesso a Deus.

O voto bíblico é aquele no qual dizemos a Deus que, em gratidão por ele nos conceder algo, nos dedicaremos a ele e o serviremos de todo o nosso coração. Nesses casos, creio que o cristão possa fazer o voto a Deus. Não vejo empecilho para isso, desde que a ação não seja feita na base da barganha e do mérito próprio. Não se compra favor de Deus; recebe-se de graça.

O que temos de fazer é, em gratidão, e em gratidão somente, dizer ao Senhor: "Aqui está a minha vida; usa-me para a tua glória. Faze de mim o que quiseres, sou instrumento em tuas mãos. Aonde me mandares, irei. A situação a que tu me submeteres, acatarei, sem murmuração nem queixa. Darei graças a ti e viverei contente em toda e qualquer situação. Tu és o meu Deus. Confio em ti". Que essa seja a nossa oração constantemente.

2

DIFICULDADES DOS NOSSOS TEMPOS

UNIÃO HOMOAFETIVA

Os cristãos têm o direito de se expressar contra o casamento homoafetivo, da mesma forma que os homossexuais têm o direito de se expressar contra qualquer coisa. Nosso país garante liberdade de expressão, opinião e crença e, acima de tudo, de consciência, conforme garantido na Constituição Federal de 1988, artigo 5º, inciso VI. Assim, se os cristãos não creem ou não aceitam que o casamento *gay* seja correto, têm o direito de fazer tal afirmação.

Dito isso, preciso esclarecer que não concordo com o clima de guerra cultural que se instalou no Brasil entre alguns ditos "representantes dos evangélicos" e ativistas *gays*. Por vezes, a discussão ocorre com palavras de baixo calão, baixarias, agressões e insultos, como podemos facilmente ver na Internet, no Congresso Nacional e em qualquer outro ambiente em que o debate sobre o tema venha a ocorrer.

É um erro da Igreja deixar-se atrair para esse nível de discussão. Por vezes, até penso que é estratégia dos ativistas *gays* atrair para o campo deles os supostos porta-vozes do evangelho a fim de começar uma discussão de baixo nível. Devemos discordar de temas como união homoafetiva, mas dentro dos limites da Palavra de Deus, isto é, dizendo a verdade em amor, firmando nossa posição e estando dispostos a sofrer por ela. Mas a impressão que se passa, pelo modo como a discussão é conduzida, é que o espírito cristão já ficou para trás há muito tempo. A Bíblia nos comanda a amar as pessoas que discordam de nós, comanda a fazer o bem àqueles que nos insultam e a tratar com urbanidade e cordialidade até mesmo aqueles que se declaram nossos inimigos (Mt 5.43-46).

Portanto, o espírito cristão é este: denunciar o pecado, mas, ao mesmo tempo, expressar que pecadores arrependidos sempre encontrarão abrigo no seio da igreja e que homossexuais são aceitos e bem-vindos. Também devemos deixar claro que respeitamos a pessoa, apesar da sua orientação sexual. Posso discordar de alguém que pratica relações homoafetivas, mas, ao mesmo tempo, dizer àquela pessoa que não tenho nada contra ela. Posso, inclusive, ser amigo dela, deixando claro que discordo de sua opção e suas atitudes.

Não acredito que os militantes LGBT representem todos os homossexuais. Penso que muitos *gays* simplesmente gostariam de seguir com a vida em paz, sem envolvimento nesse tipo de conflito. Há grupos financiados com intenções políticas específicas por trás desse movimento, com muito dinheiro gasto com militantes presentes em todos os níveis da sociedade, como educação, governo, artes e mídia. As estatísticas mostram que a proporção de pessoas que resolvem seguir o caminho da homossexualidade é bem pequeno em relação ao restante da população. Mas, ainda assim, os militantes desse segmento conseguem fazer bastante barulho, influenciando as leis, a cultura, a educação e outros âmbitos da sociedade.

A Igreja tem o direito de tomar uma posição, baseada naquilo em que crê, até porque a Palavra de Deus posiciona-se com clareza em oposição à prática da homossexualidade. Isso é muito claro tanto no Antigo Testamento (Lv 18.22) quanto no Novo Testamento (Rm 1.26-27), por preceito. Está claro para nós que o padrão de Deus para o casamento é o ato entre um homem e uma mulher, até que a morte os separe. É um casamento monogâmico, heterossexual, de tal maneira que qualquer outra forma de união é contrária à Bíblia.

Pode ser que o Estado resolva aceitar esse tipo de união, o que não quer dizer que eu tenha de aceitar. Minha consciência está antes presa à Escritura do que às leis do Estado. Se eu tiver de escolher entre o que diz o governo e o que diz a Palavra de Deus, fico sempre com o que diz a Palavra de Deus. Essa foi precisamente a atitude dos apóstolos, em Jerusalém, quando foram proibidos pelas autoridades de pregar em nome de Jesus. Qual foi a resposta deles ao serem presos por desacato à autoridade? A resposta foi: "Antes, importa obedecer a Deus do que aos homens" (At 5.29). Sinceramente, eu espero que não seja aprovada em nosso país nenhuma lei que tolha um direito civil fundamental que é a liberdade de expressão.

Mas é indispensável lembrarmos que, se vamos fazer nossas objeções ao casamento homoafetivo em público, devemos fazê-lo com todo respeito, com toda civilidade. Não podemos zombar, desprezar ou emitir juízo pejorativo, mas tratar a pessoa com a dignidade devida. Trata-se de um cidadão brasileiro, da mesma forma que nós. Podemos discordar dessa pessoa de maneira cortês. Não precisamos entrar nessa guerra cultural. Infelizmente, percebemos que setores da igreja no país foram arrastados para o centro de uma guerra que não edifica nem tem proveito. A homofobia é a agressão a homossexuais. Algumas pessoas dizem que o cristão é homofóbico e violento. Mas, na verdade, o verdadeiro cristão, o que leva em consideração os preceitos bíblicos para essa questão, não vai agredir ninguém, jamais, porque discorda de sua posição. O que agride, na verdade, é o que não tem uma orientação cristã.

Lamentavelmente, vivemos uma hipocrisia no Brasil. Isso porque, de um lado, se os evangélicos dizem que o homossexualismo é pecado, são chamados de homofóbicos. Se um evangélico se recusa a celebrar um casamento *gay*, como foi o caso de um tabelião nos Estados Unidos, ou se uma empresa de cerimoniais se recusa a preparar o bolo e a recepção de um casamento *gay* porque isso vai contra a consciência cristã da pessoa, o autor da recusa é chamado de homofóbico e tem de arcar com um processo judicial. Por outro lado, na parada *gay* os participantes tomam símbolos religiosos católicos e os profanam e insultam sem que sofram absolutamente nenhuma consequência. Portanto, vivemos uma situação de extrema hipocrisia no Brasil. O direito de expressão é negado aos cristãos, enquanto esse mesmo direito é dado de forma até leviana e desrespeitosa a essas minorias.

A nossa posição como Igreja deve ser a de pregar o evangelho: todos precisam se arrepender. Todos. Todos pecaram e carecem da glória de Deus (Rm 3.23). Quem pratica a imoralidade, a homossexualidade, a prostituição, a desonestidade, a mentira, a hipocrisia, o adultério, a calúnia, a inveja, a lascívia ou o que for necessita de arrependimento de seus pecados e de crer em Jesus Cristo como Senhor e Salvador.

IDEOLOGIA DE GÊNERO

A chamada ideologia de gênero chegou ao Brasil com toda força nos últimos anos, como parte de uma estratégia do governo federal, que tentou passar material com esse conteúdo em livros e apostilas distribuídos em escolas públicas. Essencialmente, esse pensamento afirma que ninguém nasce homem e ninguém nasce mulher, teoria formulada na década de 1960 pela feminista radical francesa Simone de Beauvoir. Junto com Betty Friedan e outras feministas, ela popularizou ideias que, a princípio, eram apenas elucubrações de um movimento radical de mulheres. Creio que aquelas senhoras nem imaginavam que suas teorias haveriam de deflagrar um movimento internacional que não somente quer buscar os direitos da mulher, mas acabar com toda distinção entre homem e mulher — além de estabelecer a agenda *gay*.

Para entendermos a questão, primeiro devemos notar que os adeptos da ideologia de gênero fizeram uma distinção entre *sexo* e *gênero*. Sexo, segundo esse pensamento, é o que herdamos por nascimento: nascemos homem ou mulher, macho ou fêmea. Gênero, por sua vez, seria aquilo que nos tornamos mediante influência da sociedade. Portanto, essa visão advoga que enquanto sexo é algo de natureza biológica, gênero é uma identidade social.

Para o movimento feminista radical, uma pessoa pode nascer homem, mas seu gênero ser feminino; ou nascer mulher, mas se perceber como homem, assumindo tal papel na sociedade. Em suma, a ideologia de gênero defende que gênero é uma construção social que não está necessariamente conectada à condição biológica do indivíduo.

Portanto, a ideologia de gênero é uma ferramenta que tem sido usada para fazer uma releitura da sociedade, com o objetivo de acabar com uma visão que, na opinião de seus propagadores, é "patriarcal" e "cristã histórica de dominação do homem sobre a sociedade". Por isso, percebemos que os que propõem a ideologia de gênero não somente hostilizam toda afirmação com respeito à definição de macho e fêmea, mas hostilizam também a Bíblia, o cristianismo e os evangélicos, uma vez que defendemos os valores familiares. Para nós, homens e mulheres são distintos e possuem sua origem na criação de Deus.

O que nem sempre é dito é que ideologia de gênero tem origem na visão marxista de divisão de classes e na impossibilidade de uma classe conviver com a outra. Assim, da mesma forma que no marxismo se procura acabar com esse conceito de classes, também na ideologia de gênero há essa ideia de acabar com os opostos, afirmando que não há distinção entre homens e mulheres. Esse pensamento causará uma série de problemas para a sociedade como um todo, e nós, como cristãos, não podemos aceitar que essa visão absurda seja imposta a todos.

Como podemos, então, responder a essa questão? Em primeiro lugar, consideramos que a Bíblia é de fato a Palavra de

Deus. As Escrituras nos ensinam que Deus criou, no princípio, homem e mulher e os fez à sua imagem e semelhança, dando-lhes papéis distintos, que seriam exercidos na família e na sociedade. A Bíblia também nos fala do casamento e da família como a participação do homem e da mulher na geração e criação de filhos, perpetuando a espécie. Isso seria a base da sociedade.

A ideologia de gênero é um ataque violento, direto e massivo da cultura pagã contra a influência do cristianismo na sociedade. No pensamento pagão, como, por exemplo, nas ideias da Nova Era, todas essas distinções são eliminadas. A distinção entre Deus e o homem no paganismo não existe, porque Deus é o homem e o homem é Deus. É o chamado panteísmo. Não existe diferença entre homem e animal; ambos teriam a mesma origem e estariam interligados, e o homem seria apenas um animal mais evoluído. Da mesma forma, não haveria distinção entre homem e mulher. Essa é a visão pagã, chamada de monismo.

Ideologia de gênero, além de ter essa visão marxista ideológica da realidade, também faz parte do ressurgimento do paganismo na sociedade ocidental. Para seus adeptos, a realidade é apenas um tecido único. Porém, o cristianismo se coloca radicalmente contra isso. Em nossa fé, as distinções existem. Deus não é a natureza. Deus não é o homem. O homem é distinto dos animais e, certamente, há distinções claras entre homem e mulher. São dois sexos, dois gêneros distintos, sendo impossível misturar as duas coisas. Essa diferenciação de homens e mulheres não significa que um seja melhor que o outro. São apenas papéis diferentes atribuídos pelo próprio Deus.

Portanto, a resposta que a Igreja deve dar a essa situação é permanecer firme na revelação de Deus, que é a Escritura Sagrada. Não deve se deixar influenciar pela cultura, mas lembrar que é a Bíblia a nossa regra de fé e prática. Movimentos sociais e culturais são inconstantes e mudam a todo tempo; portanto, não servem de base para nossa ética e para pautar aquilo em que cremos. Continuemos firmes na Palavra de Deus.

CRISES, MANIFESTAÇÕES E POLÍTICA PARTIDÁRIA

O nosso país vem vivendo nos últimos anos sucessivas crises políticas e sociais. Movimentos populares de diversas vertentes têm expressado desejos políticos que, alegam, representariam o que anseia a maioria da população. Todos esses movimentos gravitam em torno de um tema central: a velha e conhecida corrupção. Será que a Bíblia pode nos ajudar a encarar as crises de nosso país e orientar como os cristãos devem se posicionar com relação a manifestações e movimentos políticos?

Essa é uma questão bastante complexa, porque, quando a Bíblia foi escrita, nenhum indivíduo poderia fazer uma passeata pedindo a saída do imperador romano, uma vez que os exércitos abafariam a manifestação com violência e matariam quem fosse preciso a fim de manter a ordem. O Novo Testamento foi escrito num regime de imperialismo, e o Antigo Testamento, em um sistema teocrático. Logo, o contexto em que as Sagradas Escrituras foram redigidas não era democrático e, portanto, não havia Estado laico, com seus direitos e garantias. Assim, é complicado encontrarmos na Bíblia passagens que nos auxiliem diretamente no entendimento da questão política de nossos dias.

Em contrapartida, existem princípios na Palavra de Deus que possuem aplicação em qualquer sistema, forma e regime de governo. O que a Bíblia nos diz é que Deus estabeleceu a sociedade humana e a organizou de maneira hierárquica. Isso não se refere apenas ao Estado, mas, também, à própria família, à sociedade e à igreja. Essa é a maneira pela qual Deus estruturou a sociedade, visando ao estabelecimento da ordem e do bem comum. Os governantes são pessoas que receberam autoridade para gerir o bem público, conduzir a nação e elaborar e outorgar leis justas.

Em Romanos 13, o apóstolo Paulo escreve que a autoridade procede de Deus e tem como função proteger o cidadão e promover seu bem, ao mesmo tempo que pune os malfeitores. Por esse motivo, devemos respeitar as autoridades, pagar nossos impostos e cumprir as demais obrigações sociais. Ser um bom cristão não significa licença para ser um mau cidadão. O fato de sermos cidadãos do reino dos céus não nos exime de nossa responsabilidade como cidadãos brasileiros. Portanto, posso, sim, me manifestar e me valer dos meios legais para expressar minha opinião, meus sentimentos e desejos em relação à situação político-econômica do nosso país.

Os movimentos sociais podem manifestar seus anseios e protestos, se o fizerem dentro da legalidade, de maneira ordeira e sem violência. O cristão deve ter isso em mente quando for participar de manifestações. O respeito às autoridades é devido, ainda que se discorde delas. Xingar, insultar e menosprezar não faz parte da vida cristã. Não se pode ofender a dignidade da pessoa humana.

Acredito, no entanto, que isso é uma questão relativa ao indivíduo e não às denominações e igrejas cristãs. Não creio que seja papel da igreja enquanto instituição se envolver em política, especialmente política partidária. Suponhamos que uma igreja se posicionasse a favor de certo partido, entendendo que os ideais dele representassem os ideais do reino de Deus e, tempos depois, se descobrisse que o referido partido estava envolvido em práticas corruptas. O escândalo seria um desastre para a igreja.

Se por um lado não concordo com o envolvimento de igrejas quanto a esse tipo de questões, por outro não vejo problema algum em um evangélico, crente em Jesus, exercer sua cidadania ao participar da política ou de movimentos sociais em prol da moralidade e da ética na vida pública. Creio até que nossas igrejas devem preparar jovens para serem bons políticos. Precisamos de pessoas em nosso meio que vejam a política como instrumento para o bem comum. Seria ótimo ter políticos evangélicos verdadeiros, nascidos de novo, defendendo em Brasília os interesses do reino de Deus, do nosso país, de todos os cidadãos brasileiros. O político cristão foi eleito para isso e não para se tornar despachante de igreja no Congresso Nacional.

Biblicamente falando, como vivemos num regime democrático, que garante o direito de expressão, não vejo problema algum em que o cristão participe de manifestações públicas, desde que seja de forma ordeira e pacífica, respeitando as autoridades públicas como seres humanos. Ore pela nossa nação e pelos governantes, a fim de que tenhamos condições de ganhar o pão de cada dia, trabalhar com alegria e viver em paz e de acordo com os ditames de nossa consciência.

JURISTAS CRISTÃOS E LEIS ANTIBÍBLICAS

Não raramente ocorre no Brasil a promulgação de leis contrárias aos princípios bíblicos. Em vista disso, evangélicos que seguem a carreira jurídica frequentemente se veem em dificuldades para cumprir leis que contradizem suas crenças. Infelizmente, essa situação tem sido cada vez mais comum. Os advogados, juristas, promotores e demais operadores do direito têm enfrentado desafios acirrados por conta da promulgação de leis que confrontam sua fé. Em uma situação de conflito entre o trabalho e a fé, o que fazer?

Um bom começo para abordar essa questão é analisar a relação entre igreja e Estado. Em Romanos 13, Paulo nos diz que devemos nos submeter às autoridades constituídas, porque não há autoridade que não proceda de Deus. Ele recomenda que as respeitemos e sigamos suas orientações, inclusive porque a autoridade é ministro de Deus para punir os malfeitores e proteger os bons. Essa autoridade, diz ainda o apóstolo, porta a espada justamente para o exercício das suas funções. Assim, em linhas gerais, os cristãos deveriam ser sempre obedientes às autoridades e cumpridores das leis. Porém, encontramos na Bíblia situações em que o Estado promulgou, decretou ou determinou procedimentos contrários à lei maior dos cristãos, que é a Palavra de Deus.

Se por um lado somos orientados pela Bíblia a obedecer ao Estado, por outro, a lealdade final e última do cristão é à sua consciência, que, por sua vez, está presa à Palavra de Deus. Essa situação põe o cristão, e não somente o jurista cristão, em situações de conflito, especialmente em países onde o Estado se declara laico, mas que cada vez mais tem se intrometido em áreas da vida que deveriam ser deixadas à liberdade de cada um.

Infelizmente, em alguns países laicos as normas jurídicas emanadas pelo governo determinam até mesmo a forma como os cidadãos devem cuidar dos filhos, o que fere essa laicidade proposta pelo e para o Estado. Ocorre, ainda, de serem promulgadas leis com prejuízo para a expressão religiosa, como a legislação que visa a dar ao movimento *gay* direitos acima dos que têm os demais cidadãos brasileiros. O Estado está querendo entrar cada vez mais na minha consciência e, com isso, está invadindo a liberdade religiosa que deveria ser um dos direitos fundamentais de uma sociedade civilizada. Porém, apesar das leis de cunho autoritário que estão sendo promulgadas, as grandes democracias do Ocidente ainda possuem constituições que asseguram a liberdade de expressão, religião e consciência.

Algumas passagens bíblicas nos orientam quanto à questão. Em Êxodo, verificamos o episódio em que o faraó determinou que as parteiras matassem todos os recém-nascidos hebreus do sexo masculino (Êx 1.16). O texto revela que as parteiras egípcias temeram a Deus e desobedeceram a faraó, preservando a vida dos filhos das hebreias (Êx 1.17). E isso agradou a Deus (Êx 1.20). Esse é um caso de desobediência civil. A lei determinava que elas matassem as crianças, mas as parteiras se recusaram a obedecer à lei, e Deus se agradou da decisão. Essas parteiras, posteriormente, foram incluídas entre o povo hebreu.

Outro exemplo, já no Novo Testamento, é quando o Sinédrio, em Jerusalém, expede uma ordem proibindo que se pregue naquela cidade em nome de Jesus (At 5.17-42). Pedro e os demais apóstolos, então, desobedecem a esse comando superior (At 5.25,42), decisão que estava de acordo com a liberdade de crença dos apóstolos. Eles continuaram pregando o evangelho até serem presos, quando disseram que importava antes obedecer a Deus que aos homens (At 5.29) — outro exemplo de desobediência civil. Claro que aqueles bons servos de Cristo sofreram as consequências de sua decisão: foram presos e chicoteados, mas, depois, foram soltos (At 5.40).

Os cristãos do primeiro século desobedeceram aos decretos imperiais que tornavam obrigatório o culto ao imperador. Todos os cidadãos romanos que estivessem sob o domínio de César deveriam ir a algum templo erigido em homenagem a ele, com uma imagem que lhe fora dedicada, e ali queimar incenso, dizendo que César era Senhor. Os cristãos não fizeram tal coisa e, em razão dessa desobediência, foram considerados maus cidadãos pelo governo. Muitos deles morreram por desobedecer ao decreto de adorar ao imperador.

Em nossos dias, a questão é mais sutil. Nos casos que citei, é evidente que se tratava de leis claramente injustas. Mas há leis na atualidade que deixam muitos em dúvida sobre os preceitos legais à luz da fé cristã biblicamente orientada. A questão do divórcio, por exemplo, trata-se, aos olhos de muitos, de algo totalmente proibido ao crente. Para outros, como os presbiterianos, o divórcio e o novo casamento podem existir em caso de abandono ou adultério, se cometidos pela parte incrédula. Já no Brasil de nossos dias, o divórcio pode ocorrer por qualquer motivo.

Aqui entra a questão da consciência. O cristão que trabalha na área jurídica e que se vê tendo de praticar algo que afronte os princípios e as leis prescritos na Palavra de Deus deve tomar uma posição firme. "Importa antes obedecer a Deus que aos homens" (At 5.29). Naturalmente, isso implica também arcar com as consequências de sua obediência a Deus e à Palavra. Entretanto, tal pessoa pode alegar objeção de consciência, um dispositivo de grandeza constitucional. Ninguém será obrigado a fazer coisa alguma contra sua consciência (CF/1988, art. 5º, VI). A pessoa pode ainda alegar que o ato fere suas convicções religiosas. E isso deve ser feito com a consciência de que será preciso arcar com duras penas advindas de sua decisão de obedecer a Deus.

Outra alternativa é procurar atuar profissionalmente de forma que não tenha de lidar diretamente com tais decisões. Sei que isso é delicado, é difícil, mas está chegando a época em que todos seremos chamados a demonstrar — e não somente aqueles que operam com o direito — com nossa vida, nosso emprego, nosso salário, quanto verdadeiramente amamos a Deus e estamos dispostos a obedecer-lhe em nome desse amor.

O CRISTÃO E AS LUTAS VIOLENTAS: VALE TUDO?

O estilo de luta conhecido como *Ultimate Fighting Championship* (UFC), ou *Mixed Martial Arts* (MMA), tem atraído milhões de fãs ao redor do mundo, inclusive no Brasil. Apesar de ser muito violenta, a modalidade tem sido usada por algumas igrejas como forma de atrair jovens para seus templos. Será que vale tudo quando o objetivo é pregar o evangelho de Cristo?

Eu, pessoalmente, não aprecio esse tipo de esporte. Penso que é violento demais. É diferente das lutas que vemos em filmes, por exemplo, pois sabemos que os atores e os dublês não estão sendo feridos de verdade, apenas encenando. Mas a minha preocupação maior é que essas lutas vêm sendo adotadas por igrejas para atrair público. Quando tomei conhecimento disso, lembrei-me da minha época de seminarista, quando evangelizava em Olinda (PE). Nosso foco eram bairros com alta concentração de jovens e de consumo de drogas. Eu costumava promover encontros com música e acampamentos para jovens, nos quais sempre havia pregação da Palavra e evangelização.

Naquela época, deparamos com um problema: para onde encaminhar os jovens que se convertiam nos acampamentos?

Muitos deles tomavam a decisão por Cristo, mas estranhavam as igrejas tradicionais para as quais os enviávamos, e os membros das igrejas estranhavam tais jovens, com roupas e jeito diferentes do que estavam habituados a ver na igreja. Diante disso, aventamos duas alternativas: abrir uma igreja diferente para abrigar esses jovens ou convencer os pastores das igrejas tradicionais a se adaptar. Muitas daquelas igrejas tradicionais preferiram ficar na zona do conforto cultural diante das rápidas e profundas mudanças que aconteceram nas décadas de 1980 e 1990. Elas se fecharam contra qualquer abertura cultural, embora eu creia que algumas adaptações poderiam ter sido feitas para receber aquelas novas gerações sem comprometer as doutrinas da graça, o culto a Deus e o bom andamento das igrejas.

Percebo que criar igrejas fundamentadas em pressupostos, costumes e práticas de uma geração acaba levando a um cenário biblicamente equivocado, como o que usa lutas violentas para atrair novos membros. Em contrapartida, lamento como as igrejas tradicionais, históricas, têm tido dificuldades para fazer adaptações mínimas, que poderiam tornar mais fácil o ingresso das novas gerações em suas fileiras. Como, por exemplo, a promoção de música contemporânea de boa qualidade, teologicamente sadia; liturgia centrada em Deus, mas que ao mesmo tempo engaje o povo em adoração e reflexão; programações atraentes e relevantes, com conteúdo e diversão. Isto é, poderiam adotar formas de alçar pontes para a evangelização que ponham as novas gerações em contato com o sempre atual evangelho de Jesus Cristo.

Lutas violentas em igrejas evangélicas como método de crescimento é tão somente a conclusão lógica de uma teologia pragmática que sustenta esse tipo de igreja. Nessa visão, vale tudo para inchar a membresia. Qualquer coisa. E aquelas que não estão dispostas a encher seus templos a qualquer preço são vistas como "retrógradas", "vazias do Espírito Santo", "fechadas", "frias". Os adeptos desse pensamento acreditam que, por isso, elas não crescem. Mas a pergunta a ser feita é: o que está levando a esse crescimento? As pessoas que vão a essas lutas estão sendo atraídas exatamente pelo quê?

Ouvi certa vez de um amigo que os jovens precisam entender que conversão e teologia correta envolvem mudanças de comportamento, como consideração pelos outros e abnegação, para não forçar seu estilo de vida sobre os demais. Afinal, nem toda tradição é "careta". Muitas coisas têm razão de ser. Igrejas que se estruturam só para jovens, ou para abrigar determinado tipo de cultura, cedo verificarão a necessidade de ministrar a famílias, criar departamentos infantis, constituir presbíteros e diáconos e outras coisas. Isso, claro, se tiverem a teologia correta.

Igrejas que se organizam exclusivamente para atrair jovens, que são fundadas tendo por base os desejos e os pensamentos de determinada geração, terão de se adaptar novamente ou perderão o rebanho à medida que seus membros envelhecem, com seus jovens constituindo família, tendo filhos e experimentando dilemas que acompanham as novas fases da vida. Tais igrejas não conseguirão mais ministrar ao coração dos jovens de antes. E lá virão as reuniões de casais, cursos sobre família, encontros da terceira idade. É inevitável. Portanto, a síndrome de Peter Pan dessas igrejas cedo esbarrará na realidade inexorável do envelhecimento.

Lamento duas coisas nisso tudo. Primeiro, a baixaria a que determinados segmentos chamados de evangélicos pela mídia chegaram para conseguir encher seus templos. Segundo, pela aparente incapacidade das igrejas históricas de se comunicar de forma mais relevante com a atual geração de jovens e de recebê-los em suas comunidades sem jamais comprometer ou diluir a boa doutrina e prática do evangelho.

Há quem recorra às palavras de Paulo para alegar que promover lutas de UFC em igrejas é uma estratégia válida de evangelismo: "Fiz-me fraco para com os fracos, com o fim de ganhar os fracos. Fiz-me tudo com todos, com o fim de, por todos os modos, salvar alguns. Tudo faço por causa do evangelho, com o fim de me tornar cooperador com ele" (1Co 9.22-23). O perigo dessa alegação é tirar o texto do contexto. O que Paulo disse é que, quando ia pregar o evangelho aos judeus, comportava-se como judeu: não comia carne de porco, aos sábados ia às sinagogas, respeitava as tradições judaicas de circuncidar os filhos e coisas assim. Já quando estava entre os gentios, sentia-se à vontade para comer todo tipo de comida, sentando-se com os não judeus. Mas a liberdade que Paulo tinha nessas práticas está muito longe de apelações de promoção de eventos dessa natureza, que envolvem violência, competições em que para vencer é preciso bater muito em outra pessoa. É bem diferente.

RELATIVISMO

Um dos grandes desafios dos cristãos de nossos dias é saber como se portar frente ao relativismo cultural, que vem sempre acompanhado de adversidade religiosa. São cada vez mais comuns frases como "Cada um tem a sua verdade" e "O que é certo para mim pode não ser certo para o outro". Infelizmente, muitos cristãos estão sendo confrontados com isso.

O relativismo impera em todos os âmbitos da sociedade ocidental. Vivemos o período chamado de pós-modernidade, caracterizado, entre outras coisas, pelo desencanto com a busca pela verdade. Os pensadores desse período passaram a crer que o motivo pelo qual nunca se chegou à verdade plena e completa mediante a racionalização filosófica é simplesmente porque ela não existe. Assim, o foco cultural passou a ser o relativismo, isto é, as pessoas começaram a crer que toda verdade é relativa, mero produto das experiências de cada um: como os indivíduos e suas experiências são diferentes, a verdade sempre será diferente. O resultado desse raciocínio é que o que é verdade para você pode não ser para mim.

Nesse ambiente de verdade relativa, exige-se ser politicamente correto. Não podemos dizer que nosso discurso é verdadeiro e que o dos outros é falso, porque isso seria visto como arrogância de nossa parte. Afinal, quando se pensa assim, o discurso cristão parece muito soberbo, uma vez que afirmamos que Jesus é o único caminho (Jo 14.6), que não há outra possibilidade de se chegar à verdade que não passe por Cristo. Essa afirmação é bastante ofensiva para ouvidos pós-modernos, com todos os seus conceitos relativistas. Assim, além da ideia relativista, da linguagem politicamente correta, há também a ideia da inclusão, segundo a qual é preciso aceitar todos os pontos de vista.

Como conviver em ambiente tão contrário ao pensamento cristão?

Temos de começar afirmando que tal pensamento pós-moderno relativista é hipócrita. Examine o seguinte pressuposto: "Toda verdade é relativa". Ora, se toda a verdade é relativa, então essa verdade — a de que toda verdade é relativa — também é relativa! As pessoas que promovem o relativismo se baseiam em uma verdade absoluta para afirmar que não existe verdade absoluta! Se eles dizem que não existe uma única interpretação, que cada um tem a sua própria, então por que alguém deveria ler um livro que defende o relativismo e ainda tendo de aceitar a interpretação do autor? Por que pessoas se dão ao trabalho de escrever livros e mais livros afirmando que não há interpretação verdadeira se, na realidade, querem que as pessoas leiam seus livros e concordem com suas ideias? Assim, o cristão pode começar perguntando ao relativista: "Essa sua frase de que a verdade é relativa é relativa também?".

Também é importante lembrar que Deus, em sua misericórdia e em sua providência, se revelou historicamente por meio do povo judeu, a quem ele confiou a Escritura do Antigo

Testamento. Depois, enviou seu único Filho, Jesus Cristo, que reuniu discípulos a fim de registrar alguns de seus feitos. E mais, eles interpretaram o significado da vida e obra de Cristo para nós, naquele livro que chamamos Bíblia, a Palavra de Deus. É nesse livro que encontramos a revelação absoluta, final e verdadeira do Senhor.

O conteúdo da Bíblia não é incompatível com o que a academia ou a ciência descobre. Refiro-me às origens, ao funcionamento do mundo, às leis naturais. Na Bíblia é dito que há um Deus de ordem, que criou o mundo de acordo com leis naturais que preservam o funcionamento do universo. Vemos também na Bíblia que esse Deus criou o mundo com uma variedade muito grande de seres vivos.

Não se encontra nada nessa revelação escrita, absoluta e final de Deus ao homem que seja incompatível com o que a ciência moderna vem dizendo. Quando digo que há verdade absoluta, não estou ignorando que temos percepções diferentes, por vezes, dessa verdade. Em outras palavras, posso ter uma compreensão de um ponto verdadeiro que é influenciado ou informado pelo contexto em que vivo. Não nego isso. Mas pode ocorrer de sua perspectiva e a minha se complementarem, numa visão mais ampla daquela verdade.

Por exemplo, conta-se que três cegos vieram a conhecer um elefante por meio do tato, apalpando-o. Assim, uma pessoa levou esses homens ao zoológico. O primeiro apalpou a barriga do elefante e disse: "É uma grande parede". O segundo apalpou a perna do elefante e disse: "Este animal é como uma árvore, um tronco". O terceiro apalpou a cauda do elefante e disse: "O elefante é como uma mangueira". Qual é a conclusão? O elefante era único, ele tinha a sua verdade absoluta, mas a percepção daquela verdade podia ser vista por diversos ângulos. Se os três cegos compartilhassem suas percepções, de repente poderiam chegar à verdade total.

Às vezes, nossa percepção da verdade pode ser relativa, mas o conjunto de percepções por fim se harmonizam e se completam, dando-nos uma visão mais ampla. Por isso mesmo é importante que ouçamos as outras pessoas, porém, sem nunca abrir mão da defesa da realidade: a de que há absolutos.

Por que isso é importante? Porque cremos que nosso Deus é alguém imutável em seu ser, em sua sabedoria, em seu conhecimento. Ele tem uma vontade, que nos foi revelada, por exemplo, nos Dez Mandamentos. Quando lemos "Não adulterarás", isso é uma verdade absoluta, que significa que Deus desaprova o indivíduo que trai o cônjuge. Para o cristão, isso é verdade no Brasil, na China, no Japão, na Austrália ou onde for. É verdade desde que existiu a humanidade e é ainda hoje, pois trata-se de uma verdade absoluta. Não há nenhuma circunstância em que o adultério seja aceito por Deus. Não se trata de uma questão cultural, relativa.

Enfim, se você for confrontado pelo relativismo, primeiro, exponha a hipocrisia do pensamento relativista. Segundo, esteja firme na Palavra de Deus. Terceiro, afirme a existência de valores absolutos, imutáveis e válidos para todos os tempos e povos. Quarto, a pluralidade pode enriquecer nossa visão da realidade, portanto, converse com pessoas que pensam diferente de você, procure entender o ponto de vista delas e, de repente, se aperceberá de que as diferenças não são tão grandes. O homem, como é à imagem e semelhança de seu Criador, sabe no fundo do coração que existe um Deus e que há um padrão absoluto.

3

DIFICULDADES SOBRE SOFRIMENTO

O QUE DEVEMOS DIZER A QUEM ESTÁ SOFRENDO?

Com muita frequência deparamos com pessoas que estão enfrentando dificuldades, angústias, contratempos, tribulações, imprevistos e todo tipo de sofrimento. A dor da alma parece não escolher ninguém. Nem sempre há uma lógica clara de por que uma pessoa sofre e outra não. Parece que o mesmo mal que acomete um, acomete outro, sábio, néscio, rico, pobre, iletrado ou erudito... O sofrimento é algo universal e não isenta ninguém.

Como cristãos, o que devemos dizer a quem está sofrendo? A verdade é que, em algumas situações, não há muito o que dizer. Nosso papel é ficar perto, dar um abraço, chorar junto. A Bíblia diz que choremos com os que choram (Rm 12.15). Foi o que os amigos de Jó fizeram quando chegaram ao que restou da casa daquele servo de Deus, depois de verem que ele perdera os dez filhos, bem como todos os bens. Assim, durante uma semana ficaram com ele, chorando e compartilhando sua dor (Jó 2.11-13). Claro que devemos orar, intercedendo por aquela pessoa. Às vezes é só o que devemos fazer, e, acredite, não é pouca coisa, pois Deus sara corações e dá paz ao aflito.

É interessante perceber que, havendo oportunidade, a dor pode ser usada para nos abençoar e abençoar outras pessoas. Infelizmente, essa realidade vem cada vez mais sendo esquecida, por conta das teologias que infestam as igrejas evangélicas que advogam a ideia de que o sofrimento deve ser repelido, "amarrado em nome de Jesus", recusado, rejeitado. Essa postura parte da ideia de que toda dor é coisa do diabo e que Deus não tem nada a ver com isso. É um conceito que defende a concepção de que Deus quer que você seja feliz, satisfeito, alegre, saudável, bonito e rico o tempo todo.

Para os que pensam assim, tratar da situação seria pecado. Não querem nem que a pessoa em dificuldades se submeta a algum tipo de alívio proveniente das ciências, dos recursos humanos que temos disponíveis. Porém, quando estudamos a Bíblia, descobrimos que o Senhor permite a dor e o sofrimento, na maioria das vezes, com objetivos didáticos.

Por exemplo, a dor e o sofrimento nos ensinam que somos frágeis, nossa vida é passageira e tudo um dia vai acabar; ensinam que somos feitos para algo maior. Nosso coração aspira por eternidade, por imortalidade. Nós nos apegamos a este mundo crendo que pertencemos a ele; por isso, a dor e o sofrimento vêm para nos incomodar e nos lembrar de que somos peregrinos aqui e que Deus tem reservado para nós algo maior e melhor. A dor faz parte da realidade de um mundo caído, marcado pelo pecado. Esse é o resultado de nossas transgressões e das transgressões dos outros. Portanto, à luz da Bíblia, a dor e o sofrimento servem como uma espécie de lembrança de que aqui não é nosso lugar.

A Bíblia fala de novo céu e nova terra (Ap 21.1), nova humanidade. Fala do mundo que Deus está criando em Cristo Jesus. É uma realidade na qual não haverá lágrimas, choro ou sofrimento (Ap 21.4). Assim, uma das coisas que podemos dizer a quem está sofrendo é que a dor nos remete à esperança que Deus coloca diante de nós na pessoa de Cristo.

O Senhor Jesus disse que quem cresse nele teria a vida eterna (Jo 3.36). Aliás, quem crê que ele veio de Deus, que é o Filho de Deus e Salvador do mundo já tem a vida eterna. Por vida eterna Jesus se refere ao relacionamento com o Senhor que começa aqui, mas que continua eternidade afora. Haverá, então, plenitude de felicidade com nossos irmãos, que também estarão lá. Essa é a esperança do cristão, é isso o que o consola. É fácil dizer essas coisas para quem confia em Jesus, para quem é cristão de fato. Basta lembrar a essa pessoa o que Cristo nos prometeu.

Outra questão que podemos levantar, se tivermos a oportunidade, é que a dor não somente existe para nos lembrar do que Deus preparou para nós, mas também serve como uma espécie de corretivo, um meio de instrução divina para nos ajudar a ser melhores. Por exemplo, se sou uma pessoa muito impaciente, se sou destemperado, se me torno irritado e raivoso com muita facilidade, às vezes Deus permite situações em que eu fique frustrado para que aprenda a exercer a paciência. É o aspecto didático do sofrimento.

O sofrimento ensina a construir um caráter cristão. É quando estou sofrendo que mais aprendo a orar, a esperar, a resignar-me diante de Deus. E é nesses momentos que mais percebo o valor da paz, da alegria e da saúde, algo a que geralmente não dou muita atenção quando as coisas vão bem. Nesses períodos, lembro-me de agradecer a Deus.

Se você está lidando com alguém que está sofrendo, poderá dizer a essa pessoa: "Não quero menosprezar seu sofrimento nem ser insensível, mas talvez esta seja uma oportunidade para que você reflita sobre a sua vida. Por que veio esse sofrimento? Por que ele bateu à sua porta?". Digo isso porque boa parte dos sofrimentos é fruto de nossos erros, de decisões erradas que tomamos, de escolhas que não deveriam ter sido feitas. E, quando as consequências chegam, é bom lembrar e aprender (Lm 3.39). Claro que há sofrimentos, como uma doença degenerativa ou um câncer, que não são frutos de erros que cometemos ou de alguma falha moral de nossa parte. Ainda assim, servem para nos lembrar de quem somos e de quanto precisamos de Deus.

Há ainda outra questão que envolve o sofrimento: uma pessoa que passa pelo sofrimento e o vence sem se deixar abater ou perder a alegria e a esperança, que confia em Deus durante o processo, é alguém que terá condições de ensinar outras. Como precisamos de gente assim! Pessoas que passaram pela dor e experimentaram a doença agora podem achegar-se com autoridade para quem está sofrendo e dizer: "Eu sei o que é isso. Já atravessei o vale da sombra da morte. Já enfrentei dias maus. Porém, em tudo Deus segurou minha mão, e posso lhe dar uma palavra de esperança!".

Por fim, se você tiver a oportunidade e a pessoa que estiver sofrendo ainda não entender o evangelho, os vales que ela atravessa representam uma ótima situação para que ela compreenda o que significou o sofrimento de Cristo em nosso lugar. Ninguém sofreu mais que ele, como inocente que experimentou a angústia de todos os nossos pecados, bem como a tortura mental e espiritual que o pecado traz. Na cruz, Cristo sofreu literalmente o inferno por nós. Ele sabe o que é sofrer. Se Cristo morreu e ressuscitou, esse é o nosso consolo na hora do sofrimento. E o sofrimento do Cordeiro de Deus foi para que tivéssemos perdão dos pecados, fôssemos libertos da dor que o pecado nos causa e vivêssemos em paz e alegria com Deus por toda a eternidade.

ADOECI. E AGORA?

A Bíblia nos diz que a doença faz parte do processo de morte, cuja entrada no mundo se deu quando o primeiro casal pecou contra Deus. Pela desobediência de Adão, o pecado entrou no mundo e trouxe consigo a morte (Rm 5.12). Esta, por sua vez, começa quando nascemos. O ser humano vive certo número de anos e, a cada dia que passa, ele se aproxima de seu fim. Nesse processo de degeneração e decaimento, as doenças são uma realidade. Elas nos afetam, atrapalham, afligem e entristecem, especialmente quando ocorrem com entes queridos. Enfim, as enfermidades são uma realidade dura e cruel com a qual temos de lidar.

A Bíblia nos diz que a humanidade toda, sem exceção, está sujeita às doenças, porque todos pecaram e carecem da glória de Deus (Rm 3.23). Não há um justo, nem um sequer (Rm 3.10). Todos são pecadores, e o salário do pecado é a morte (Rm 6.23). E, como parte desse processo de morte, as doenças entram como porção inseparável. Diante disso, constatamos que a doença não escolhe quem tem fé e quem não tem. Todos conhecemos gente de muita fé que adoece e indivíduos que não se importam com Deus, mas têm uma saúde de ferro!

Eu creio em milagres, preciso deixar isso claro. Creio que Deus cura hoje, em resposta às orações de seu povo. Tenho, todavia, dificuldade com pessoas que dizem que têm o dom de curar, que possuem "o ministério de cura". Isso não quer dizer que eu não creia que Deus responda às orações. Eu mesmo, durante meu ministério pastoral, tenho orado por muitas pessoas que adoeceram e, apesar das orações, elas não ficaram curadas. Em contrapartida, também já orei por muitas outras que foram saradas.

Apesar de todas as orações que fazemos a Deus quando adoecemos, é fato inegável que muitos continuam doentes e, eventualmente, chegam a morrer. Nossa experiência pastoral tem mostrado que algumas vezes ocorre a cura e outras vezes não. Os grandes hospitais do país abrigam um número elevado de evangélicos hospitalizados por todo tipo de doença. A proporção de evangélicos sendo atendidos nos hospitais acompanha a proporção do número de evangélicos do país. Ou seja, doença não faz distinção religiosa. Doença não tem preconceito.

Para muitos evangélicos, crentes em Jesus adoecem e não são curados porque lhes falta fé em Deus. Contudo, apesar do ensino popular que nos diz que a fé cura todas as enfermidades, os hospitais e as clínicas especializadas continuam cheios de evangélicos de todas as denominações, sejam tradicionais, sejam pentecostais, sejam neopentecostais. Será que podemos dizer que eles estão ali, sem exceção, porque pecaram contra Deus? Ficaram vulneráveis aos demônios e não têm fé suficiente para superar seu estado? Essa é uma argumentação sem fundamento.

É nesse ponto que entram em crise de fé muitos evangélicos que adoeceram ou que têm parentes e amigos evangélicos doentes. Acabam por ficar decepcionados com a situação da enfermidade que persiste ou, ainda, com a morte de outros crentes fiéis. Com isso, passam a não crer mais em nada. Por fim, saem da igreja e abandonam a fé. Conheci muitos casos assim. A pessoa orou, mas Deus não curou. Ou um parente ficou doente, oraram por aquela pessoa, e ainda assim ela veio a falecer. Muitos acabam até permanecendo na igreja, porém, marcados pela dúvida e pela incerteza.

A melhor resposta que podemos oferecer a alguém com esse tipo de problema é que homens de fé podem ficar doentes, conforme a Bíblia e a história nos ensinam. A Escritura como um todo mostra a história de homens cheios de fé que ficaram doentes e alguns que vieram a falecer da enfermidade que os acometeu. Um deles é o profeta Eliseu. Repare que ele foi um dos profetas do Antigo Testamento que mais fizeram milagres. Ainda assim, diz o texto bíblico: "Estando Eliseu padecendo da enfermidade de que havia de morrer..." (2Rs 13.14). Espere um momento! Eliseu não era homem de fé? Ele não fez tantos milagres? Não era um profeta de Deus? Mas ele morreu doente. Certamente não por falta de fé.

Outro exemplo é Timóteo. Paulo lhe recomenda remédios caseiros porque seu discípulo tinha problemas no estômago. O apóstolo lhe escreve: "Não continues bebendo somente água; usa um pouco de vinho, por causa do teu estômago e das tuas frequentes enfermidades" (1Tm 5.23). Timóteo tinha problemas estomacais e frequentes enfermidades. Estamos tratando do amigo de Paulo! Por que Paulo não o curou? O apóstolo não tinha fé? Não tinha autoridade diante de Deus? Não tinha feito sinais e prodígios? Por que seu amigo, a quem Paulo chama de filho na fé (1Tm 1.2), vivia constantemente doente? Porque, embora fosse um homem de fé, Paulo não podia curar todas as doenças de todo mundo. A cura das enfermidades é algo concedido por Deus, que cura quando quer. Tenho certeza de que Paulo gostaria de ter curado Timóteo.

Lembremos que houve aquela circunstância em que Paulo orou três vezes para se ver livre do "espinho na carne", mas a resposta de Deus foi *não*. Ele apenas disse: "A minha graça te basta" (2Co 12.9). Em outra ocasião, Paulo escreveu aos Gálatas: "... a minha enfermidade na carne vos foi uma tentação, contudo, não me revelastes desprezo nem desgosto" (Gl 4.14). Isso mostra que, enquanto o apóstolo esteve na região da Galácia, ficou doente. Essa doença, que ninguém sabe ao certo qual é, poderia levar os gálatas a pensar: "Como pode, ele é apóstolo de Cristo e está doente... Que homem sem fé!", mas, ao contrário, Paulo diz em sua carta que eles não o desprezaram por conta disso.

Há, ainda, o caso de Trófimo, amigo de Paulo que não foi curado mediante uma oração do apóstolo: "Erasto ficou em Corinto. Quanto a Trófimo, deixei-o doente em Mileto" (2Tm 4.20). O que essa passagem nos mostra é que Paulo deixou um amigo doente, sem cura, na cidade de Mileto. Podemos citar, ainda, o caso de Epafrodito, sobre quem Paulo diz que "estava angustiado porque ouvistes que adoeceu. Com efeito, adoeceu mortalmente; Deus, porém, se compadeceu dele e não somente dele, mas também de mim, para que eu não tivesse tristeza" (Fp 2.26-27). Não sabemos qual era a doença de Epafrodito, mas sabemos que ele havia ficado mortalmente doente.

A conclusão é que precisamos ter prudência. A questão da doença e de sua cura nem sempre é sobre ter fé ou não. Nem sempre significa que a pessoa não crê em Deus ou que está em pecado. Às vezes, Deus permite a doença para nos abater e nos ensinar a viver contentes em toda e qualquer situação, lembrando que ele é o Senhor da vida.

PÂNICO, ANSIEDADE, DEPRESSÃO E OUTROS MALES

É cada vez mais comum encontrarmos casos de pessoas que enfrentam problemas como síndrome do pânico, ansiedade, depressão e outros males do gênero. Será que a Bíblia pode ajudar no enfrentamento desses problemas? Creio que sim. Essas síndromes, na verdade, são muito antigas. Se tomarmos o livro de Salmos como referência, escrito aproximadamente entre os anos 700 e 800 a.C., veremos esse tipo de mal presente na vida dos salmistas. O salmo 88, por exemplo, foi escrito por um levita do tempo de Salomão que abre seu coração e mostra a profunda angústia e depressão que tomou conta de sua alma. Ele diz que toda noite clama a Deus, que parece não ouvi-lo. O salmista chora, queixa-se de que não tem amigos, de que seus companheiros o abandonaram, e sente-se como um homem que está prestes a ser jogado na cova, um morto que é contado entre os vivos. Trata-se de um quadro de profunda angústia, tristeza e, eu diria, depressão.

Há também o caso do profeta Elias. Ao ser perseguido pela rainha Jezabel, ele se escondeu em uma caverna e pediu pela morte, pois já não suportava a enorme pressão que vinha sofrendo (1Rs 19.4). O próprio apóstolo Paulo fala, em suas cartas, de momentos de grande preocupação, com lutas e ansiedades, muito embora não se trate aqui de uma pessoa deprimida (2Co 1.4; 4.17; Rm 5.3; 8.18). E até mesmo Jesus enfrentou uma situação de grande sofrimento da alma. Os evangelhos nos dizem que isso ocorreu no Getsêmani, a ponto de ele dizer que sua alma estava atribulada até a morte (Mt 26.36-46). Jesus estava angustiado com a cruz que lhe sobreviria, em razão de todo o sofrimento físico e psíquico que sofreria no Calvário.

A Bíblia traz muitas orientações, em muitas passagens, sobre como devemos lidar com essas emoções. O salmo 32, por exemplo, descreve uma experiência do rei Davi, que, por causa de seus pecados contra Deus, perde a comunhão com o Senhor até o momento em que resolve confessar seus pecados e reatar seu relacionamento com ele. Jesus, por exemplo, é claro ao ensinar os discípulos a não viver ansiosos. Ele orienta a olhar as aves do céu e perceber como Deus cuida delas, a olhar para os lírios do campo e observar como Deus os veste; portanto, o Pai sabe quais são todas as necessidades de seus filhos (Mt 6.25-32). E o Senhor termina, dizendo: "buscai, pois, em primeiro lugar, o seu reino e a sua justiça, e todas estas coisas vos serão acrescentadas. Portanto, não vos inquieteis com o dia de amanhã, pois o amanhã trará os seus cuidados; basta ao dia o seu próprio mal" (Mt 6.33-34).

Esses fatos demonstram que, embora tais síndromes sejam vividas de forma muito aguda pelo homem moderno, trata-se de questões muito antigas. Tanto o Antigo Testamento quanto o Novo Testamento trazem passagens que descrevem tais problemas e oferecem prescrições para solucioná-los.

O que ocorre em nossos dias é que as causas da depressão e das demais angústias da alma foram exacerbadas e agravadas, o que tornou o quadro do homem da pós-modernidade ainda mais complexo. Creio que boa parte das angústias pelas quais as pessoas passam é fruto da culpa. A pessoa sente que errou, que fracassou, logo, vai a um psicólogo e toda a ideia de culpa é retirada em nome do bem-estar do paciente. A pessoa está se sentindo culpada por estar traindo a mulher, por exemplo, mas ouvirá: "Você tem de ser feliz. Esqueça essa culpa. Isso é culpa de outra pessoa. Essa questão é apenas um tabu da sociedade". Assim, vivemos em uma sociedade que não sabe mais conviver com a culpa.

E como devemos lidar com a culpa? Se ela é real, precisamos começar por admitir nosso erro, pedindo perdão a quem foi ofendido e consertando o que fizemos de errado. Claro que isso é muito mais difícil. As pessoas cada vez mais estão sendo encorajadas a não sentir culpa, a não assumir a responsabilidade por nada — convencendo-se de que a culpa é sempre do vizinho, do marido, da mulher, do amigo, do governo. Assim, elas terminam por não tratar as causas da angústia e da depressão da forma correta. O meio correto é buscar o perdão de Deus, mediante arrependimento de seus atos, resolvendo o que precisa ser resolvido. A intenção das sociedades modernas, de eliminar a culpa das pessoas, termina por aumentar ainda mais a culpa dentro do coração, trazendo, naturalmente, mais angústia e depressão.

Nossas sociedades vêm se secularizando muito. No mundo ocidental dos séculos passados, em que o cristianismo era dominante, as pessoas tinham como alento e conforto o reino vindouro. O reino que Jesus prometera: novo céu e nova terra. Mas, à medida que o cristianismo vem perdendo influência no mundo ocidental e a secularização vem aumentando, as pessoas deixam de ter esperança futura. Isso porque elas são ensinadas que a vida não passa do aqui e agora. Comer, beber, trabalhar, se divertir, fazer sexo, ganhar dinheiro e promover guerras tornaram-se, no entendimento de muitos, as razões básicas de nossa existência. Ou seja, "comamos e bebamos, que amanhã morreremos" (Is 22.13). O ser humano não aguenta viver sem esperança, sem expectativa. Se tudo o que nos resta e nos aguarda se resume a esta vida, somos os mais infelizes de todos os homens (1Co 15.19)

Para deixar a situação um pouco pior, surge a famigerada Teologia da Prosperidade no seio das igrejas, ensinando que Deus quer que você seja rico, próspero, bonito, saudável, que esteja sempre em primeiro lugar, que não lhe falte nada. Há um deslocamento do coração dos cristãos para os bens materiais, esmaecendo a expectativa e a esperança da vida futura.

Em suma, podemos dizer que a busca de uma sociedade sem culpa, o materialismo que vem dominando o pensamento das sociedades e as falsas manifestações de cristianismo, como a Teologia da Prosperidade, acabam precipitando as pessoas cada vez mais na solidão, em uma vida sem expectativa, em busca da realização por meio do prazer. Nada disso é capaz de preencher o coração do homem.

Com isso, não estou dizendo que toda depressão, toda síndrome do pânico, toda angústia sejam resultado dessas questões existenciais. Por vezes, há razões biológicas e químicas. Determinadas doenças acarretam desequilíbrio emocional por afetarem quimicamente a mente da pessoa. Casos assim devem ser tratados com medicamentos, orientação médica, psicólogos, psiquiatras e medidas dessa natureza. Mas o fator que mais contribui para todas essas profundas angústias da alma são questões existenciais. As pessoas não conseguem lidar com questões de sua existência: quem sou eu? O que faço aqui? Qual é a razão da minha existência? Para onde vou quando morrer? Essas questões são de tal forma angustiantes que chegam a levar as pessoas ao suicídio.

A todos que sofrem desses problemas, eu lembraria palavras de Jesus que são muito apropriadas para nosso tema: "Vinde a mim, todos os que estais cansados e oprimidos, e eu vos aliviarei" (Mt 11.28).

SOFRIMENTO POR AMOR A CRISTO

As perseguições aos cristãos tiveram origem no primeiro século. O mundo era dominado pelo sistema romano, que tinha como líder um César, que era objeto de adoração. Em cada uma das províncias dominadas pelo Império Romano havia um templo dedicado à adoração a César, com uma estátua sua em frente, além de um grupo de sacerdotes que ofereciam sacrifícios, queimavam incensos e lhe faziam oblações. Essa religião imperial era imposta a todas as nações que estavam debaixo da dominação romana.

Quando o cristianismo surgiu, os cristãos começaram a se referir a Jesus Cristo como sendo o *Kyrios*, palavra que significa "Senhor", a mesma usada na época para se referir a César. E, ao professar sua crença em Jesus como Senhor do Universo, *Kyrios*, os cristãos estavam dizendo, em certo sentido, que a autoridade de Jesus era superior à de César. Não é que eles fossem maus cidadãos. Há várias passagens no Novo Testamento em que o apóstolo Paulo orienta os cristãos a honrar as autoridades e a pagar os impostos (Rm 13). Pedro, por sua vez, diz que devemos nos sujeitar a toda autoridade constituída entre os homens (1Pe 2.13). Não se tratava de uma questão de rebeldia por parte dos cristãos, eles apenas não acataram o decreto de adorar César, pois sabiam que só existe um que merece a adoração: o Deus que se revelou na pessoa de Jesus Cristo. As primeiras perseguições, portanto, foram motivadas por essa recusa em adorar César como Senhor.

Não podemos esquecer que, antes de o Império Romano começar a perseguir os cristãos, quem primeiro os perseguiu foram os judeus. Os mesmos judeus que rejeitaram Jesus e o expuseram à morte diante das autoridades romanas foram os que perseguiram os discípulos. Atos relata o apedrejamento de Estêvão (At 7.57-58) e as perseguições contra o apóstolo Paulo. Lembrando que Paulo, antes de sua conversão, era um perseguidor dos cristãos (At 8.3). Por que os judeus perseguiram os primeiros cristãos? Porque esses diziam que Jesus era o Messias esperado de Israel. Entretanto, na concepção dos judeus, isso era blasfêmia, uma vez que Cristo morreu crucificado e, de acordo com o Antigo Testamento, é "maldito todo aquele que é pendurado num madeiro" (Dt 21.22-23). A ideia de um messias pendurado e morto numa cruz era extremamente estranha e agressiva para os judeus. Como aquele movimento estava se espalhando e anunciando que Jesus era o Messias, as autoridades judaicas começaram uma campanha visando a silenciar os primeiros pregadores cristãos, os apóstolos, os evangelistas e assim por diante. Como não podiam decretar a pena de morte, frequentemente apelavam às autoridades romanas, sob a alegação de que os cristãos afirmavam haver outro rei que não César. Às vezes, as autoridades romanas se envolviam; às vezes, não.

A partir de meados da década de 60 d.C., quando o cristianismo começou a crescer muito e se tornar uma ameaça indireta — porque os cristãos de boa consciência nunca ameaçariam as autoridades —, o Império Romano começou a se voltar contra os cristãos. Naquele período, os seguidores de Jesus foram acusados de ter provocado um incêndio que devastou Roma. Segundo relatos, foi o próprio imperador Nero quem provocou o incêndio, culpando os cristãos, que pagariam pelos feitos como bodes expiatórios.

A partir de então, houve nove grandes perseguições promovidas pelos imperadores romanos, até que, finalmente, o imperador Constantino, não podendo mais resistir à força do cristianismo, decretou que, em seu império, o cristianismo seria a religião oficial. Fez que todo seu exército fosse batizado, muito embora ele mesmo não o tenha sido.

Em nossos dias, as perseguições aos cristãos têm causas variadas. Algumas são por motivos religiosos e ocorrem onde a liberdade religiosa não existe. Por exemplo, na comunista Coreia do Norte. Ou, ainda, em nações que possuem uma única religião oficial do Estado. É o caso dos países islâmicos, onde a fé cristã não é permitida. Assim, ser pego lendo a Bíblia, dando um testemunho de fé ou evangelizando, por exemplo, sujeitará a pessoa a ser sumariamente presa e, eventualmente, morta. Há também perseguições feitas por grupos radicais islâmicos, que têm consistentemente matado cristãos de formas brutais, chegando a postar vídeos na Internet. Isso está sendo feito em nome do islamismo, mas creio que ocorra também com algum cunho político, visando a atingir os Estados Unidos e outros países ocidentais.

Há também a perseguição que não é totalmente aberta, mas que existe claramente. Consiste na discriminação, e no consequente afastamento da arena de debate público, de todo aquele que seja cristão. Isso tem acontecido mais em países do Ocidente. Por exemplo, na universidade: se você é estudante de mestrado ou doutorado e deseja fazer uma pesquisa científica, uma dissertação que envolva algum aspecto do cristianismo, certamente enfrentará dificuldades — especialmente, se em sua banca não houver nenhum professor que seja cristão. Dirão que religião não tem nada a ver com ciência. Considero isso muito difícil de entender; afinal, o cristão não pode escrever sobre algum aspecto que seja abarcado por sua fé, mas o ateu pode.

Além da universidade, podemos encontrar isso também no ambiente de trabalho e na própria esfera pública, em especial quando estão em debate questões como homossexualidade, aborto e eutanásia. Se adentrarmos o debate com argumentos de origem bíblica, como o de que o ser humano é feito à imagem e semelhança de Deus, sendo, por isso, merecedor de dignidade e respeito, a argumentação nem será considerada. Por essa razão, o cristianismo vem sendo expulso da arena pública.

Alegar que o Estado é laico para constranger os cristãos a não participar de debates racionais é errado. Dizer que o Estado é laico nada mais é que afirmar que o Estado não se intromete em qualquer questão religiosa de seus cidadãos. As pessoas são livres para aderir ao credo que melhor lhes convenha. Estado laico não é Estado ateu.

Existe ainda outro aspecto relacionado à questão da perseguição que considero importante abordar. O apóstolo Pedro escreveu: "nenhum de vós padeça como homicida, ou ladrão, ou malfeitor, ou como o que se entremete em negócios alheios" (1Pe 4.15). Muitos evangélicos alegam sofrer perseguição religiosa em diferentes âmbitos de sua vida. Por exemplo, algumas pessoas já chegaram a mim e disseram: "Pastor, estou sendo discriminado no trabalho por ser evangélico, por ser cristão...". Quando investigo mais a fundo, descubro que o irmão é um péssimo funcionário, que sempre chega atrasado. Em vez de olhar para as próprias falhas, a pessoa prefere acreditar que está sofrendo por amor a Cristo! Está, na verdade, sofrendo por merecer. Portanto, hoje, infelizmente, boa parte da hostilidade que existe contra os evangélicos é por falta de sabedoria, de discernimento e de saber apresentar corretamente as questões na arena pública. Outras vezes, somos rudes, brutos, desonestos e atribuímos as consequências desse tipo de comportamento reprovável a "sofrimento por amor a Cristo".

A conclusão é que a perseguição religiosa aos cristãos existe desde o início do cristianismo e perdura até nossos dias. Porém, precisamos verificar o que realmente é perseguição e o que não é.

SOFRIMENTO QUE VEM PELO AMOR AO DINHEIRO

O apóstolo Paulo deixou bem claro na Escritura que o amor ao dinheiro é a raiz de todos os males (1Tm 6.10), isto é, o amor ao dinheiro dá origem a muito sofrimento. Essa observação é fruto de um conhecimento real da natureza humana. Não tenho dúvidas de que Paulo estava se referindo ao fato de que muitos dos males que ele havia testemunhado na vida e nas igrejas que pastoreava eram resultado do amor ao dinheiro.

É interessante notar que, na primeira carta de Paulo a Timóteo, ele menciona algumas pessoas que se desviaram da fé e seguiram outro caminho, pensando que a piedade fosse fonte de lucro. Ele se referia a pessoas que um dia foram cristãs, ou que frequentavam a igreja — pois cristãs de verdade não eram — e estavam presentes nos ajuntamentos cristãos usando a religião como ganha-pão. É o que poderíamos chamar de "mercenários da fé". Essas pessoas passaram a enriquecer usando o nome de Deus. O amor ao dinheiro as levara a se valer do evangelho para o enriquecimento.

É nesse contexto que Paulo observa que o amor ao dinheiro é a raiz de toda sorte de males. E não só males desse tipo.

Podemos fazer uma aplicação mais ampla, que nos mostra quão verdadeira é essa declaração. Quando se fala do amor ao dinheiro, ou é porque se possui demais, ou porque se possui de menos ou porque a pessoa não tem uma atitude correta no trato financeiro. A atitude para com o dinheiro não pode ser de amor.

Um dos males que podemos citar é a avareza. A pessoa avarenta tem amor ao dinheiro, vive em busca dele, sonha com ele, tem dificuldade de se livrar dele. Com isso, acaba sendo uma pessoa sem generosidade, que não reparte com os outros, não abençoa o próximo com alguma parte de seus ganhos e de suas propriedades. Esse é o exemplo de amor ao dinheiro e dos males que ele produz. Outro exemplo é o da pessoa que ama o dinheiro a ponto de depender de ter uma boa quantia sempre no bolso para sua felicidade. Na falta do dinheiro, esse indivíduo se angustia, se deprime e chega até ao ponto do suicídio.

O dinheiro em si é neutro. Trata-se simplesmente de uma medida de poder pela qual a pessoa pode adquirir coisas ou obter alguma posição vantajosa para si. Tudo dependerá do uso que fazemos dele. O dinheiro pode ser utilizado para o bem ou para o mal. O que a Bíblia de fato condena é o amor ao dinheiro, o apego, a dedicação ferrenha a ele.

Em certa ocasião, o Senhor Jesus chegou ao ponto de dizer aos seus discípulos que eles precisavam escolher a quem serviriam: às riquezas ou a Deus. Ele não estava proibindo uma pessoa de ser rica, tampouco condenando todos os ricos, mas condenando o apego às riquezas e a dedicação ao enriquecimento. O Senhor não deseja que vivamos para obter, ajuntar e acumular, em detrimento de buscar com a mesma intensidade e com o mesmo fervor as coisas de Deus.

Jesus encontrou um jovem interessado naquilo que ele ensinava. Era um moço muito rico, que lhe perguntou o que deveria fazer para herdar a vida eterna. O Mestre respondeu que ele conhecia os mandamentos e devia segui-los; o jovem replicou afirmando que guardava todos desde a infância. Foi quando Cristo tocou na raiz do problema: disse ao jovem que, se de fato ele quisesse entrar no reino dos céus, deveria vender tudo o que tinha, dar aos pobres o dinheiro obtido e segui-lo. O resultado foi que aquele moço se retirou da presença de Jesus com tristeza, porque era muito rico. Foi o amor ao dinheiro, a cobiça, o que impediu aquele jovem de seguir Jesus e, assim, herdar a vida eterna. O moço trocou a salvação pela felicidade fugaz e, por vezes, aparente que o dinheiro pode comprar neste mundo.

Em outra ocasião, Jesus contou a história de um homem que era tão rico que disse: "Destruirei os meus celeiros, reconstruí-los-ei maiores e aí recolherei todo o meu produto e todos os meus bens. Então, direi à minha alma: tens em depósito muitos bens para muitos anos; descansa, come, bebe e regala-te. Mas Deus lhe disse: Louco, esta noite te pedirão a tua alma; e o que tens preparado, para quem será?" (Lc 12.18-20). Esse é mais um exemplo de como o amor ao dinheiro é a raiz dos males. O homem da história passou a vida ajuntando, economizando, comprando propriedades, prosperando seus negócios, mas nunca se preocupou com Deus e com a busca dos tesouros verdadeiros que estão nos céus, onde a ferrugem não consome, o ladrão não entra e a traça não come (Mt 6.19-21).

Em nossos dias, há líderes religiosos que parecem trabalhar muito em cima desse amor que as pessoas têm pelo dinheiro e acabam pregando a Teologia da Prosperidade, o que termina por levar seus seguidores a amarem mais ainda este mundo e menos o próximo. Houve uma época em que eu ficava com pena dessas pessoas, pois pensava que elas estavam sendo enganadas. Mas, quando analisamos a situação de forma mais detida, percebemos que elas só estão sendo enganadas porque já amam o dinheiro, já possuem o desejo de enriquecimento. Acabam encontrando um falso mestre que diz: "Você me dá dez que Deus lhe devolve cem".

A crença no lucro fácil, com retorno imediato e abundante, faz que as vítimas dessa heresia cometam atos de dissipação de patrimônio, gastem todas as suas reservas na esperança de ter um retorno maior, conforme prometido por tais falsos mestres. Conheço uma senhora de poucos recursos que vendeu a cama a fim de fazer uma "corrente", esperançosa de enriquecer depois disso. Porém, não enriqueceu.

Quando o dinheiro é bem empregado, pode de fato ser uma bênção. Com ele podemos ajudar os pobres e necessitados, investir em nossa família e manter nosso sustento, ajudar causas nobres e empreender outras ações saudáveis. Mas, quando o dinheiro se tornar um deus para nós, estaremos diante de um ídolo cruel — é por isso que Paulo classificou a avareza como idolatria. Esse falso deus precisa ser destronado, pois não é possível que adoremos a Deus e ao dinheiro ao mesmo tempo. Só Deus deve ser Senhor de nossa vida. E nunca se esqueça do mandamento de Cristo: "Buscai, pois, em primeiro lugar, o seu reino e a sua justiça, e todas estas coisas vos serão acrescentadas" (Mt 6.33).

SOFRIMENTO NA VELHICE: COMO VENCÊ-LO?

A velhice é um dos períodos mais difíceis para o ser humano. Essa época da vida pode trazer maior vulnerabilidade às doenças, dependência de outras pessoas, solidão, sensação de inutilidade e outras questões frequentes que assolam o coração e a mente dos idosos. Eu, por exemplo, não sou totalmente jovem, mas estou em plena atividade. Quando me imagino daqui a alguns anos, parado, sem algo para fazer, já sinto certo incômodo.

Esse senso de fragilidade, inutilidade e solidão faz que muitos idosos sintam-se deprimidos e temerosos. A boa notícia é que hoje em dia há uma conscientização maior quanto aos que alcançaram a terceira idade. Existem programas e projetos com diversas atividades destinadas aos idosos, que têm como objetivo ajudá-los a vencer a solidão e a ociosidade. Penso que, por melhor que sejam esses programas, nem sempre eles conseguem trazer uma felicidade plenamente satisfatória a quem já viveu muito. Isso porque creio que a causa ou a razão da felicidade está em outro lugar.

A Bíblia nos ajuda nessa questão porque mostra como diversas pessoas conseguiram chegar à idade avançada e morrer felizes e realizadas. Destacarei uma apenas: o patriarca Abraão. Lemos em Gênesis que Abraão "morreu em ditosa velhice, avançado em anos" (25.8). Ditosa velhice quer dizer uma velhice feliz. Como Abraão conseguiu alcançar essa felicidade na terceira idade? O que fez que ele, ao fim da vida, conseguisse experimentá-la dessa forma? Qual é o segredo da felicidade na velhice? Quando lemos sobre a vida de Abraão, vemos que pelo menos três fatores contribuíram para sua felicidade na terceira idade.

Primeiro, ele foi um homem de fé durante toda a vida. Desde o dia em que Deus o chamou para sair de sua terra e peregrinar em uma terra distante, o patriarca aprendeu a confiar nele e a depender de suas promessas. Não foi em vão que Abraão ficou conhecido como "pai da fé" e "amigo de Deus". Quando a pessoa aprende cedo a confiar em Deus, tem mais condições de enfrentar as incertas consequências da velhice, tal qual Abraão. Pergunte-se: durante a sua vida você aprendeu a confiar em Deus e em suas promessas? Se você fortaleceu sua fé e desenvolveu um senso de dependência de Deus afinado ao longo dos anos, quando a velhice chegar, sua confiança estará mais firme para enfrentar as incertezas que advirão desse período. Em contrapartida, se a pessoa passa uma vida toda sem se relacionar com Deus, não aprende a depender de suas promessas nem possui uma fé robusta, quando a velhice chegar, ela se encherá de pavor, de apreensões com o futuro, em vez de confiar no Deus que em todo tempo cuidou dela, que mostrou sempre amor, carinho e proteção.

Segundo, Abraão chegou feliz a sua velhice porque era obediente a Deus. Abraão foi um homem obediente ao Senhor durante toda a vida. Isso é muito importante, porque fé e obediência sempre andam juntas. A fé não é um mero assentimento intelectual. Não é somente concordar intelectualmente com uma série de dogmas acerca de Deus, é apropriar-se dessas declarações e viver de acordo com elas. É ter certeza de que as afirmações bíblicas sobre Deus não falharão em sua vida e, por isso, você as seguirá sempre. O episódio em que o Senhor pede ao patriarca que sacrifique Isaque mostra isso com clareza. Foi porque cria em Deus que Abraão lhe obedeceu.

Se aprendermos desde cedo a obedecer ao Senhor incondicionalmente, quando ficarmos velhos, esse ato de fazer a vontade de Deus nos trará uma consciência tranquila. Agora, se o sujeito passa a vida inteira desobedecendo a Deus, quebrando sua Lei e fazendo o que é mau aos olhos divinos, à medida que a velhice — e, com ela, a morte — se aproximar, a culpa e o pavor entrarão sorrateiramente no coração de tal pessoa. Mas, se esse indivíduo viveu na presença de Deus em plena confiança, com fé durante toda sua vida, então a velhice e a morte serão mais uma ocasião de encontro com o Senhor, pois o evento que se aproxima não é de medo, mas o de abandono deste vale de lágrimas que chamamos vida para ir à presença de nosso Salvador.

Terceiro, à medida que os anos passaram, Abraão desenvolveu um relacionamento pessoal com Deus. Diariamente, ele falava com o Senhor, procurava ouvi-lo e entender sua vontade. Basta ler sobre sua vida para constatar que isso era verdade. Abraão aprendeu a andar com Deus pela fé. Quando ficou velho, o patriarca já havia andado o suficiente com o Senhor para saber que ele estava sempre ao seu lado. Isso é um conforto extraordinário em nossos momentos de solidão. Se uma pessoa acostumou-se a ter Deus como seu companheiro a vida inteira, compartilhou toda sua existência com ele e nele sempre confiou, tal pessoa nunca estará sozinha. Saber e ter a certeza de que o Criador está ao seu lado será sempre conforto e consolo, ainda mais na velhice.

Um dia seremos velhos, se não formos interrompidos pela morte. Passaremos pelo mesmo vale de lágrimas que muitos estão passando neste momento. Mas quem confiou em Deus, obedeceu-lhe e andou com ele durante toda a vida pode ter uma velhice feliz, frutífera e cheia de sentido, sem medo e sem sofrimento.

4

DIFICULDADES SOBRE DISCIPLINAS ESPIRITUAIS

POR QUE DEVO CRER NA BÍBLIA?

Não é incomum encontrarmos pessoas que alegam que a Bíblia é um livro escrito por homens e, portanto, cheia de erros e contradições. Como, afinal, podemos saber que a Bíblia é a verdade acima de qualquer suspeita?

Logo de saída, precisamos definir o que chamamos de *Bíblia*, pois existem diferentes "bíblias" disponíveis no mercado. Nós, protestantes, chamamos de Bíblia a coleção de 39 livros sagrados dos judeus que compõem o Antigo Testamento, escritos em hebraico, alguns com partes em aramaico; mais o que chamamos de Novo Testamento, composto por 27 livros, escritos em grego e reconhecidos pelos cristãos como escritura sagrada tanto quanto os livros do Antigo Testamento.

As alternativas são bíblias como as católicas romana e ortodoxa. As católicas contêm mais livros que a protestante, chamados de "deuterocanônicos", "pseudoepígrafos" ou "apócrifos". A diferença de tradução é quase nenhuma. Além disso, existem a bíblia utilizada pela Igreja Ortodoxa Grega, que contém livros ausentes nas demais — como III Macabeus, Oração de Manassés e Salmos de Salomão —, e a dos Testemunhas de

Jeová, que modifica textos como João 1.1, ao dizer que a Palavra "era um deus", para negar a divindade de Cristo.

Uma vez esclarecido o que é a Bíblia, surge a pergunta: como podemos saber se ela é de fato a verdade? Há muitos argumentos, e vou expor alguns deles a seguir.

A Bíblia dá testemunho de si mesma. Se alguém quer saber se ela é verdadeira ou não, precisa conhecê-la. Muita gente diz "a Bíblia está cheia de erros", "não creio que seja a Palavra de Deus" e "no papel cabe tudo", mas nunca se deu ao trabalho de tomar uma Bíblia e lê-la. É importante tirar um tempo para ler o Antigo Testamento, o Novo Testamento, os evangelhos, as cartas do apóstolo Paulo, o livro de Atos, os salmos. Tenho certeza de que muitos mudarão de opinião sobre a Bíblia se vierem a lê-la.

O que não é admissível é alguém dizer que a Bíblia está cheia de erros sem nunca a ter lido. A Bíblia está disponível em qualquer livraria; até mesmo nos hotéis é possível encontrar exemplares gratuitos do Novo Testamento. Portanto, a Bíblia está acessível a todo mundo, em diferentes linguagens e traduções. Quando você ler o texto bíblico, perceberá que ele dá testemunho de si próprio. Creio na Bíblia porque a li e conheço o poder dela em minha vida.

O que me encoraja e suporta a minha fé no fato de que a Bíblia é a Palavra de Deus são algumas evidências, como os manuscritos. Só do Novo Testamento existem cerca de 5.700 manuscritos gregos, além de mais de nove mil manuscritos em outras línguas, como siríaco, copta e latim. Recentemente, fizeram uma descoberta que provavelmente nos dará manuscritos de meados do primeiro século da era cristã. Logo, não existe nenhum outro livro milenar com tamanha comprovação arqueológica da sua composição. Os manuscritos do Mar Morto contêm livros do Antigo Testamento que ficaram preservados do contato humano por quase dois milênios e, ao comparar o conteúdo de tais pergaminhos com os textos que estão na Bíblia, hoje, temos certeza científica e arqueológica de que seu conteúdo não foi alterado. Você não encontra essa comprovação manuscritológica em nenhum outro livro considerado sagrado.

Ao se ler a Bíblia do começo ao fim, é fácil perceber que ela tem uma mensagem única, muito embora seja composta por 66 unidades que estão interligadas e que foram produzidas por pessoas diferentes, em culturas distintas, em épocas diversas, atendendo a situações peculiares. Todavia, a mensagem é uma só: existe um Deus, criador dos céus e da terra, que é Pai e Senhor, se manifestou e se revelou na história, e nos visitou na pessoa do Filho, Jesus. Cristo foi morto por nós na cruz, ressuscitou ao terceiro dia e subiu aos céus, onde reina, aguardando o momento de seu retorno ao mundo. Por isso, Deus nos convida a nos arrependermos de nossos pecados e crermos nele. Precisamos sujeitar-nos a ele para que tenhamos a vida eterna. De Gênesis a Apocalipse essa é a mensagem da Bíblia, apresentada em um relato concatenado, apesar de ter sido escrita em um período de tempo considerável.

Outra questão que me convence da autoridade da Bíblia é seu conteúdo. Quando você a ler, verá que ela rebaixa — no melhor sentido — o ser humano, ao quebrar seu orgulho, dizer a verdade sobre a humanidade e exaltar Deus, sua graça e misericórdia. É interessante pensar que, se uma pessoa desejasse escrever um livro de religião para enganar as pessoas, ela não diria "você é um pecador condenado e irá para o inferno; portanto, arrependa-se e mude de vida". Essa não é uma mensagem muito popular, pois tenderia a espantar as pessoas. Se eu quisesse redigir um livro para enganar os outros, seu texto diria algo como "você é uma pessoa maravilhosa", "as respostas estão dentro de você", "você encontrará forças dentro de si", "você é especial" e outras afirmações bajulatórias que tornassem a mensagem charmosa e atraente. É fácil perceber que os falsos profetas tendem a elogiar as pessoas para se promover. Há muitos livros com essa proposta, como obras de autoajuda que exaltam os seres humanos. A Bíblia, ao contrário, diz a verdade sobre nós: somos pecadores perdidos e desesperadamente carentes da graça de Deus. E autoajuda é algo que a Bíblia não é de forma alguma; ela realmente diz a incômoda verdade a nosso respeito.

Outro ponto que fundamenta a veracidade da Bíblia são as profecias que ela registra. Há predições escritas séculos antes de Cristo nascer que se cumpriram cabalmente, o que não tem explicação humana, como a cidade em que Jesus nasceria, o fato de que ele seria perseguido após seu nascimento, o nome que adotaria, o fato de que seria chamado de nazareno, as perseguições que ele haveria de sofrer, a sua morte na cruz e tantas outras. O profeta Isaías, por exemplo, descreveu 600 anos antes de Cristo, como seria a morte de Jesus, no capítulo 53 de seu livro. Se lermos o relato profético, temos a sensação de que ele está vendo presencialmente a crucificação do Senhor, pois o evento está registrado em detalhes, embora só fosse ocorrer seis séculos depois. O texto diz, por exemplo, que Cristo seria crucificado e ferido com uma lança, que lhe dariam vinagre e fel na hora de sua morte, que ele ressuscitaria.Tudo isso a Bíblia menciona e de fato aconteceu.

Não podemos deixar de mencionar a mudança de vidas por meio da leitura da Bíblia. Ao longo dos séculos, a Bíblia tem transformado, literalmente, bilhões de pessoas, além de influenciar civilizações inteiras. Poucas pessoas sabem que os direitos civis fundamentais, como a liberdade de expressão, religião e crença têm origem na Bíblia, na visão que esta nos dá de que somos criados à imagem e semelhança de Deus, um ser amoroso e gracioso que se comunica e nos criou para sua glória. Ao se compararem os efeitos da Bíblia na civilização ocidental cristã, que zela por essas liberdades, com outras culturas que foram erigidas em cima dos ensinamentos de outros livros religiosos — que ensinam a opressão, a violência e a propagação da fé pela espada —, tem-se a resposta de qual livro, de fato, é a Palavra de Deus.

Quer saber se a Bíblia é a verdade? Adquira uma e leia. Você saberá por si mesmo.

POR QUE DEVO LER A BÍBLIA?

Devemos ler a Bíblia porque ela é a revelação de Deus para nós. Revelação essa que veio por intermédio de seres humanos, pessoas como você e eu, que falaram, escreveram e registraram debaixo da orientação do Espírito de Deus, que as preservou de cometer erros. Portanto, a Bíblia é inteligível, ela nos compreende, adaptada que é à nossa situação, e responde a perguntas próprias do ser humano. Então, encontraremos nesse livro a revelação que Deus fez de si mesmo e a solução que ele tem para nossos problemas e necessidades.

Eu posso e devo ler as Escrituras porque é nela que vou ouvir a voz de Deus. Sei que muitas pessoas alegam ou até reivindicam que conversam com Deus e o ouvem falar, mas não quero aqui discorrer sobre as experiências espirituais que cada um diz ter com Deus. Eu, pessoalmente, nunca ouvi a voz de Deus audivelmente. Nunca o Senhor apareceu-me em sonho ou numa visão, mas, quando leio a Bíblia, é como se eu estivesse ouvindo ele próprio falar. Costumo fazer até um trocadilho interessante: "Quer ouvir a voz de Deus? Leia a Bíblia. Quer ouvir a voz de Deus audivelmente ou em alta voz? Leia a

Bíblia em voz alta". De qualquer forma, você estará ouvindo a Palavra de Deus.

Por isso devemos ler as Escrituras. Além de sua antiguidade, a Bíblia sobreviveu a todo tipo de ataque por milhares de anos. Ela já foi atacada pela crítica moderna e por ateus, já foi queimada e abolida na história, proibida em alguns países, manipulada e torcida, mas permanece como o livro mais vendido e mais lido do mundo até os dias de hoje.

O filósofo francês Voltaire, que era um ateu crítico da Bíblia, antes de morrer, em 1778, afirmou com muita convicção que a Bíblia seria ultrapassada. Ou seja, com o avanço do conhecimento, com a "evolução" do ser humano, a Bíblia ficaria obsoleta e não teria mais qualquer valia ou aceitação. Ficaria jogada em uma caixa em casa, onde as pessoas poderiam, só por curiosidade, pesquisar, ter alguma informação histórica, tal qual um livro de mitologia antiga, sem nenhum valor espiritual. Obviamente, isso não aconteceu e, passados mais de 230 anos da morte de Voltaire, a Bíblia continua sendo o livro mais vendido do mundo.

Embora a Bíblia tenha sido escrita por pessoas de uma cultura muito antiga, que não existe mais, as Escrituras foram inspiradas pelo Deus eterno. E o que Deus disse a essas pessoas há milhares de anos é o mesmo que ele nos diz hoje. É por isso que, quando as pessoas leem a Bíblia, elas se veem naquelas páginas. Elas veem seus problemas sendo tratados e encontram soluções para seus dilemas, porque, num certo sentido, os problemas do homem moderno com suas questões existenciais são atemporais. Todos queremos saber quem somos, qual é a origem do mal, por que as pessoas são más, por que coisas ruins acontecem a pessoas boas, o que há depois da morte, o que deu errado na vida, por que sofremos, como manter o casamento, como lidar com questões financeiras, qual é o lugar de cada um no mundo, que vocação cada pessoa tem e questões similares. Esses são questionamentos eternos; sempre acompanharam a humanidade.

Assim, o que Deus disse para um hebreu, há três mil anos, no coração da Palestina, num certo sentido é o mesmo que ele nos diria hoje. Claro, guardadas as devidas diferenças de cultura, língua e situação específica. Mas, basicamente, seria a mesma coisa.

A Bíblia trata de um tema que sempre foi importante para o ser humano: a questão da sua identidade. O que eu sou, o que estou fazendo aqui, por que sou assim, a possibilidade de me reconciliar com o Deus Criador e ter um relacionamento pessoal com ele e o que acontecerá comigo após a morte são questões que sempre acompanharam a humanidade e sempre acompanharão. Como a Bíblia dá uma resposta satisfatória a todas essas questões, ela é sempre atual. E sempre será.

Nenhum outro livro pode substituir a Bíblia, pois ela é uma obra literária única. É o único livro que foi, de fato, escrito por inspiração do Espírito Santo. Por essa razão, aquilo que está escrito em suas páginas é o que Deus gostaria de nos dizer. Não estou desprezando o valor dos escritos humanos modernos, há muita literatura boa no mercado, que devemos ler. Mas a Bíblia é insubstituível. Ela tem mudado a vida de bilhões de pessoas. Conhecemos casos e mais casos de pessoas que, ao ler e ouvir o texto bíblico, tiveram sua vida transformada.

E isso só é possível porque apenas a Bíblia é a Palavra de Deus.

A AUTORIDADE DA BÍBLIA

Ao escrever a segunda carta ao seu discípulo Timóteo, Paulo argumenta: "Toda a Escritura é inspirada por Deus e útil para o ensino, para a repreensão, para a correção, para a educação na justiça, a fim de que o homem de Deus seja perfeito e perfeitamente habilitado para toda boa obra" (2Tm 3.16-17). Esse texto é realmente útil para se aplicar a todos os textos que compõem a Bíblia, seja do Antigo Testamento, seja do Novo Testamento.

Quando Paulo diz que toda a Escritura é inspirada por Deus, ele está se referindo primariamente ao Antigo Testamento, que era a Escritura disponível naquela época, considerando somente os livros canônicos. O que ocorre é que encontramos na mesma correspondência de Paulo a consciência de que outras Escrituras estavam sendo produzidas.

Podemos encontrar Paulo citando, no mesmo nível do Antigo Testamento, palavras de Jesus como tendo a mesma autoridade, isto é, como sendo igualmente inspiradas por Deus. O próprio Paulo tem consciência em seus escritos de que está sendo guiado por Deus e que sua palavra é está revestida de autoridade.

No início das cartas aos tessalonicenses, por exemplo, ele diz que seus destinatários receberam suas palavras como elas são de fato: palavras de Deus (1Ts 2.13). Assim, os escritores do Novo Testamento — apóstolos ou alguém ligado ao círculo apostólico — tinham recebido de Jesus a promessa de que, quando o Espírito Santo viesse, os guiaria a toda verdade (Jo 14.26). De que maneira o Espírito Santo fez isso? Levando os discípulos de Cristo a entender a pessoa de Jesus e sua obra e a registrar essa compreensão.

Assim, a nossa base para afirmar a infalibilidade ou a inerrância do Novo Testamento não é somente 2Timóteo 3.16-17, mas a consciência, dos apóstolos e dos escritores neotestamentários, de que estavam continuando aquele conjunto de livros inspirados que compunham o Antigo Testamento. Em outras palavras, eles colocaram seus escritos em adição ou em complementação, seguindo o mesmo espírito de Jesus, que disse assim: "Ouvistes o que foi dito... eu porém vos digo..." (Mt 5.27-32). Logo, Jesus colocou suas palavras ao lado das palavras do Antigo Testamento no que se refere ao nível de autoridade, e disse a seus apóstolos que eles haveriam de fazer o mesmo por meio do Espírito Santo prometido. Vemos, então, que logo cedo as cartas neotestamentárias, os evangelhos e outros livros começaram a circular entre os cristãos, recebendo o *status* de Escritura.

Nos escritos dos pais da Igreja, do século 2 ao 3, já vemos citações de livros do Novo Testamento ao lado de citações do Antigo Testamento como sendo Palavra de Deus e, por isso mesmo, inspiradas. Não é de admirar que logo cedo a Igreja tenha reconhecido essa inspiração e, por consequência, a infalibilidade e a autoridade dos escritos neotestamentários — reconheceu, e não determinou, decretou ou decidiu essa autoridade.

Outra dúvida comum quando falamos sobre a autoridade das Escrituras refere-se ao termo "inerrância", isto é, a qualidade de algo ou alguém que não comete erros. Esse termo surgiu há menos de duzentos anos nos debates teológicos, em razão das discussões entre o liberalismo teológico e a teologia conservadora. Refiro-me à segunda década do século 20, quando o liberalismo teológico entrou nas universidades e centros teológicos da Europa e dos Estados Unidos. Os liberais começaram a questionar a exatidão da Bíblia, dizendo que ela não poderia ser confiável porque continha erros. Assim, os conservadores de todas as denominações reagiram afirmando a inerrância da Bíblia, isto é, que ela não contém erro de espécie alguma.

Mas, quando afirmamos que a Bíblia é inerrante, precisamos fazer alguns esclarecimentos. Ao dizer isso, não estamos querendo dizer que as traduções para as línguas diferentes das originais — hebraico, aramaico e grego — são inerrantes. Porque as traduções para o português, o inglês, o espanhol e os demais idiomas podem conter erros de tradução, uma vez que nem sempre os tradutores conseguem captar o sentido original da palavra. Portanto, nós não atribuímos, como alguns fazem, inerrância à versão King James, por exemplo. As nossas Bíblias em português são passíveis de revisão. Tanto é assim que a cada cinco ou dez anos as editoras publicam uma revisão e uma atualização, haja vista a constante luta para se chegar ao sentido mais próximo possível do original.

O que afirmamos é que a inerrância está nos originais. Naquilo que Paulo, João, Mateus e outros escritores bíblicos escreveram. Nós temos quase certeza absoluta do que era o texto original — os chamados autógrafos — por meio da ciência chamada manuscritologia ou baixa crítica, cuja metodologia é empregada por estudiosos capazes do mundo todo para fazer a recuperação do texto original. Os autógrafos são inerrantes.

Hoje, temos por volta de 95% a 96% de certeza sobre o texto original, e mesmo essa pequena diferença percentual não contém qualquer ponto central que danifique a mensagem central das Escrituras.

Quando dizemos que a Bíblia é inerrante, não estamos dizendo que entendemos tudo o que ela diz, pois há passagens difíceis de compreender. O próprio apóstolo Pedro, em 2Pedro 3.15-16, refere-se aos escritos de Paulo dizendo que eles têm passagens difíceis de compreender, complementando ainda que os indoutos e incrédulos distorcem as palavras de Paulo, bem como as demais Escrituras. Aqui temos mais um exemplo de que os escritos neotestamentários são colocados em pé de igualdade com os do Antigo Testamento.

Ao dizer que a Bíblia é inerrante tampouco estamos dizendo que não há aparentes contradições no texto sagrado, em especial nos evangelhos, nos quais alguns escritores contam histórias de um jeito e outros a relatam de modo diferente (cf. Mc 16.5 e Jo 20.12). Isso se explica não como erro, mas como perspectiva diferente, isto é, pontos de vista de cada escritor. Tanto que sempre é possível harmonizar tais relatos, formando o entendimento como um todo.

Também não queremos dizer com "inerrância" que a Bíblia é um livro científico, com linguagem científica que descreve os fenômenos com linguagem técnica. É por isso que encontramos na Bíblia passagens que dizem coisas do tipo: "O sol se levanta numa extremidade do céu, percorre toda a sua extremidade e se põe na outra" (Ec 1.5). Quem lê isso com ceticismo pode argumentar que essa é uma visão cientificamente errada. Porém, sabemos que o propósito da Bíblia não é descrever fenômenos naturais com linguagem científica, mas pela perspectiva do observador. Para quem está na Terra, quem se move é o Sol. Até hoje, em época altamente científica, dizemos: "o Sol nasceu", "o Sol se pôs".

Quando as pessoas dizem que a Bíblia tem erros e, por isso, não tem autoridade divina, a melhor abordagem em geral é pedir à pessoa que aponte o suposto erro. Sempre encontraremos uma resposta, na própria Bíblia, para aquilo que aparece como uma contradição ou um erro. Confie na Escritura. Ela é verdadeira em tudo o que afirma, e nós podemos apostar nossa alma e nosso futuro eterno em suas promessas.

A BÍBLIA E SUAS INTERPRETAÇÕES

A Bíblia, como qualquer outro texto, comporta, em geral, um entendimento apenas: aquele que seu autor pretendeu dizer. Então, se uma pessoa ler a Bíblia, deverá chegar ao significado pretendido por seu autor.

Faz-se muita celeuma em torno da interpretação bíblica, como se a Bíblia fosse um livro "místico", cheio de sentidos subliminares, sentidos por detrás do texto. Do ponto de vista da interpretação, a Bíblia deve ser lida como se lê qualquer outro texto. Claro que, para nós, trata-se de um livro inspirado por Deus, mas a mecânica de interpretação é a mesma da leitura de um jornal ou de um livro de literatura escrito por seu autor predileto.

Para isso há regras simples, como a que nos leva a ler um texto sempre dentro do contexto. Em vez de tirar conclusões em trechos isolados, lemos as passagens que vêm antes e as que vêm a seguir. Precisamos fazer perguntas como "Para quem esse texto foi escrito?" e "Qual era a intenção do autor ao escrever?". Quando prestamos atenção a esses pontos, pode ser que haja diferença na conclusão, mas deverá ser mínima.

Peguemos, por exemplo, João 3.16: "Porque Deus amou ao mundo de tal maneira que deu o Filho unigênito, para que todo aquele que nele crê não pereça, mas tenha a vida eterna". Não existem muitas possibilidades de interpretação para essa passagem. O texto diz que Deus amou o mundo e que esse amor é grande a tal ponto de ele dar em sacrifício seu Filho unigênito, Jesus Cristo, para que todo aquele que nele crer não pereça, mas tenha a vida eterna. Podemos discutir sobre quem é a pessoa de Cristo, sobre quem é o unigênito ou ainda o que é vida eterna. Mas o que o texto está dizendo é isto: Deus amou o mundo e deu seu Filho para salvar todo aquele que crê. Não teremos muita dificuldade com essa passagem.

É verdade que há passagens um pouco mais complicadas e que desafiam nossa capacidade de interpretação. Por exemplo: o apóstolo Pedro diz em sua primeira carta que Jesus Cristo foi pregar aos espíritos em prisão, que em outra época, na de Noé, haviam sido rebeldes (1Pe 3.18-20). Essa passagem nos leva a questionar o que Pedro realmente quis dizer. Quem são esses "espíritos em prisão"? O que significa "Cristo foi pregar"? Jesus foi ao inferno pregar para essas pessoas? Onde estão esses "espíritos em prisão"? Isso ainda hoje gera dificuldades interpretativas.

Mas esses tipos de passagens são raros. Pegue as cartas de Paulo, os evangelhos, o livro de Atos, Salmos, os livros históricos e você perceberá facilmente que o sentido deles é o natural, o mais óbvio. Claro que dá para ler como qualquer outro livro. Aqui e ali é que depararemos com passagens um pouco mais difíceis. E, mesmo que eliminássemos do texto essas partes de entendimento mais difícil, a mensagem central não seria afetada, continuaria clara.

Qual a mensagem central da Bíblia? Deus nos fez à sua imagem e semelhança; nós desobedecemos a ele e merecemos o juízo divino; mas Deus nos amou e enviou seu Filho para morrer na cruz a fim de nos salvar de nossos pecados; Cristo é Deus e veio morrer por nós; Jesus ressuscitou ao terceiro dia e subiu aos céus; Cristo enviou o Espírito Santo e deu a ordem para que batizássemos as nações em nome do Pai, do Filho e do Espírito Santo, fazendo discípulos e ensinando-lhes a guardar tudo o que Jesus ensinou; e Cristo voltará uma segunda vez a este mundo. Essa é a mensagem da Bíblia. Essa é a linha mestra que se percebe desde a preparação, no Antigo Testamento, até a realização, no Novo Testamento.

As diferenças de interpretação têm mais a ver com passagens obscuras, que contêm pontos não muito claros na Bíblia. Por exemplo: fica difícil determinar, lendo as Escrituras, qual a forma correta de batismo. Será que é por imersão, mergulhando a pessoa na água? Será que é por aspersão, derramando água em sua cabeça? Os cristãos vêm discutindo esses pontos há muito tempo. Mas a pergunta é: isso é relevante para a salvação? A minha salvação, a minha vida eterna dependerá da forma como fui batizado? Ou será que o que importa é que o batismo foi feito com água "em nome do Pai, do Filho e do Espírito Santo"? (Mt 28.19). Na verdade, isso é o que importa.

Assim como essa questão do batismo, há outras discordâncias entre os evangélicos, mas, em geral, todos concordam com os pontos centrais da fé. O problema são as diferenças que temos de interpretação com pessoas que colocam outras fontes de autoridade e revelação ao lado da autoridade das Escrituras. Quando se traz esse tipo de influência para o texto na hora da interpretação, o resultado é que teremos uma leitura enviesada. Atribuir ao texto algo que não está dito é conhecido na ciência hermenêutica como *eisegese*. Daí a pessoa insere no texto a justificativa para o que é praticado e pregado em sua religião ou denominação.

Devemos deixar o texto falar, seguindo regras simples de interpretação. Leia o contexto, procure o sentido natural, literal e mais óbvio, sempre que possível. Quando não for possível buscar o texto literal, estaremos diante de uma metáfora, e o próprio texto indicará isso. Procedendo assim, perceberemos que a mensagem da Bíblia é clara. As diferenças não afetarão a mensagem central. Muitas vezes, o que existe é somente desculpa, pretextos para entender textos fora de contexto.

Entendemos, com relação à interpretação bíblica, que a Bíblia se autointerpreta. No entanto, devemos usar as ferramentas que Deus pôs ao nosso dispor para a interpretação das Escrituras. Por causa de sua idade, por causa de sua distância geográfica, por causa do distanciamento da cultura, por ter sido escrita em línguas diferentes, a Bíblia precisa ser lida debaixo de um estudo cuidadoso. Tudo isso fazem a teologia, a pesquisa, a exegese, a arqueologia, o estudo das línguas originais importantes para um bom entendimento bíblico. As nossas traduções em português são boas o suficiente para que qualquer ouvinte, lendo uma delas, entenda o que Deus está nos falando por intermédio desse livro. Não há empecilho quanto a isso.

Mas, a fim de aperfeiçoarmos as nossas compreensões, especialmente naquelas passagens de difícil interpretação, o estudo dessas disciplinas, por causa de todos os distanciamentos a que nos referimos, é necessário e importante. Desprezar isso é desprezar ferramentas que Deus nos deu para chegar a entender melhor sua Palavra.

Se Deus nos deu a Bíblia, é porque ele queria ser entendido. Não creio que ele nos daria a Bíblia com o objetivo de nos deixar em confusões interpretativas sem fim.

CREIA NOS EVANGELHOS

A história de Jesus está registrada na Bíblia, nos livros que são chamados de evangelhos: Mateus, Marcos, Lucas e João. Esses livros apresentam o Redentor, o Salvador, o Filho de Deus. Há pessoas que, com o objetivo de desacreditar esse grupo de livros — e junto com eles, toda a Bíblia —, afirmam que esses homens inventaram a história de Jesus como Senhor, Salvador e Filho de Deus ou, ainda, como o próprio Deus na terra.

Porém, existem muitos motivos pelos quais deveríamos tomar os relatos dos evangelhos como fontes confiáveis para a reconstrução dos fatos em torno da pessoa de Jesus conforme aconteceram. O primeiro é o fato de que nós temos mais de cinco mil cópias de manuscritos preservados em museus. Todos eles, embora escritos em lugares diferentes, por autores diversos, em épocas distintas, contam a mesma história. As diferenças são pequenas e têm mais a ver com erros de cópias de escribas.

Por exemplo, em vez de "Jesus Cristo", às vezes um manuscrito registra como "Cristo Jesus". Ou, ainda, há em algum manuscrito a omissão de uma linha, ou a duplicação de uma mesma linha. Esses são erros comuns de cópias. Alguns erros eram intencionais, motivados por convicção própria do escriba. Por exemplo, no começo do Evangelho de Marcos, temos: "Princípio do evangelho de Jesus Cristo, Filho de Deus" (Mc 1.1). Em determinado manuscrito, o escriba deixou propositadamente de copiar a última parte da frase, "Filho de Deus", por não crer que Jesus é o Filho de Deus. Mas muitos outros escribas copiaram. Fazendo, então, a comparação, fica claro que a omissão foi intencional.

Os escribas eram as pessoas que se dedicavam a copiar esses manuscritos. Muitos deles eram religiosos que ficavam em mosteiros ou que se dedicavam quase que exclusivamente a isso. Passavam a vida toda fazendo cópias e mais cópias manualmente. Há manuscritos belíssimos dos séculos 2 e 3 que contêm os quatro evangelhos completos, além de outros livros do Novo Testamento. O resumo do que quero dizer é que não existe nenhuma história tão bem atestada e documentada, inclusive arqueologicamente, quanto a de Jesus.

Se fôssemos usar os mesmos critérios que usamos para fazer a crítica bíblica em escritos antigos como os de Homero, Platão e Aristóteles, poderíamos chegar até a duvidar que essas pessoas existiram, pois a quantidade de fontes que atestam o que elas escreveram não chega nem perto da quantidade que confirma o texto dos evangelhos.

Há também o fato de que são quatro evangelhos, com notáveis similaridades. Embora tenham sido escritos por pessoas diferentes e em datas diferentes, reproduzem literalmente palavras, frases e histórias inteiras, a ponto até mesmo de alguns levantarem a questão de que um evangelista copiou do outro e assim por diante.

Mas, ao mesmo tempo que os evangelhos possuem essa semelhança extraordinária, também possuem diferenças. Marcos tem detalhes a respeito de determinadas histórias que não aparecem nem em Mateus nem em Lucas. O Evangelho de João possui histórias, eventos e milagres de Jesus que não estão presentes nos outros três. Por conseguinte, quando comparamos os quatro, a impressão é que, embora os evangelistas tenham compartilhado alguma coisa em comum, provavelmente foram testemunhas oculares ou auriculares (isto é, que escreveram a partir do relato de testemunhas oculares). Ao escrever, adotaram pontos de vista diferentes, segundo a perspectiva própria de cada um, o que explica as notáveis similaridades e também as diferenças entre eles.

Fica muito difícil imaginar que essas histórias teriam surgido de forma independente, em determinados grupos, em comunidades que resolveram inventar lendas, mitos a respeito de Jesus, já que há uma origem independente para cada Evangelho. Em contrapartida, fica difícil também explicar as diferenças de relatos que ocorrem entre cada um desses livros simplesmente alegando que um escreveu sem nem sequer saber da existência do relato do outro. Por isso há diferenças e semelhanças.

Outro ponto que nos convence da veracidade dos evangelhos é que as coisas que estão escritas ali custaram a vida de seus autores. Imagine que você vá escrever uma lenda, uma ficção, uma história que você sabe não ser verdadeira e seu texto se torna público. Muita gente começa a tomar ciência daqueles relatos e a ficar ofendida com o que você escreveu. Como consequência, você será responsabilizado e sentenciado à morte pelo que pôs no papel. No caso dos autores dos evangelhos, eles foram confrontados pelas autoridades romanas e ameaçados de morte por escrever que Jesus Cristo é o Filho de Deus, o único Senhor que ressuscitou dos mortos e que tem toda autoridade no céu e na terra. César, o imperador romano, ofendeu-se. Os judeus se ofenderam. Entretanto, nenhum dos quatro evangelistas voltou atrás.

Se eu tivesse escrito uma obra de ficção, como *Senhor dos Anéis* ou *Harry Potter* e, de repente, estivesse sendo processado por acreditar em bruxaria, eu diria na hora: "Isso é uma ficção, uma história que eu criei. Não morrerei por causa disso! Apenas escrevi para entretenimento". Mas nenhum dos autores bíblicos procedeu assim. Com exceção de João, os demais morreram martirizados, sem de maneira alguma voltar atrás no que relataram nos evangelhos. Eles criam que aquilo era a verdade e se dispuseram a morrer por ela. Como de fato aconteceu.

Além disso, temos de levar em consideração que não foram somente esses quatro os únicos evangelhos que foram escritos. No final do século 2, já havia perto de cinquenta evangelhos que se propunham a contar a história de Jesus, a narrativa de seus sofrimentos ou de sua infância. Esses são chamados de evangelhos apócrifos, porque não possuem autoria identificável. Ninguém sabe ao certo quem os escreveu. Geralmente diz-se que foram escritos por algum apóstolo de Jesus, por alguém próximo a Maria ou por qualquer outro personagem bíblico que não pode ser comprovado. Ocorre que, quando se compara o conteúdo desses evangelhos com os quatro canônicos, a diferença é gritante. Claramente são lendas, mitos, invenções. Retratam, por exemplo, que Jesus, ainda menino, teria matado outro garoto porque ficara ofendido; que Jesus faltava às aulas porque sabia mais que os mestres, e coisas similares. Basta ler os apócrifos e compará-los aos relatos canônicos que se vê claramente por que a Igreja não aceitou os apócrifos. Ao contrário desses, a clareza, a sobriedade, o senso de realidade, o referencial histórico que os evangelhos canônicos nos apresentam são notáveis.

O último ponto que gostaria de destacar é que Mateus, Marcos, Lucas e João localizam a história de Jesus no tempo e no espaço. Os relatos dizem quem era o governador, quais fatos aconteceram e em quais lugares, citam testemunhas oculares, falam de dados geográficos e fornecem informações a esse respeito em relação aos eventos relatados. João, por exemplo, ao relatar o milagre da multiplicação dos pães e peixes, diz que Jesus mandou todos sentarem na grama, e Marcos acrescenta que a grama estava verde (cf. Jo 6 e Mc 6.39). Esse é um detalhe que atrai a testemunha ocular, que presenciou aquilo. Detalhes como esses nos convencem da confiabilidade dos relatos dos evangelhos a respeito da vida e da obra de Jesus.

Claro que uma pessoa pode ouvir todos esses argumentos, ler os quatro evangelhos e ainda assim não se convencer. Isso ocorre porque, na verdade, a fé não é de todos. É o Espírito de Deus quem abre o coração, a mente e o entendimento, desanuviando as trevas da incredulidade, e ele é quem conduzirá a pessoa a reconhecer o maravilhoso Filho de Deus, Jesus Cristo, o Salvador do mundo.

SOLA SCRIPTURA E A IGREJA

Somente a Palavra de Deus é a autoridade máxima no que diz respeito à existência e à doutrina da Igreja. Esse conceito configura um dos lemas da Reforma Protestante, também conhecido como *Sola Scriptura*. A Igreja Católica Apostólica Romana não aceita o *Sola Scriptura*, sob o argumento de que a Bíblia não apresenta textualmente que ela é a única regra de fé e de prática, mas uma das regras, junto com elementos como a tradição oral e o magistério da igreja. Esse argumento, porém, parte do pressuposto de que, para termos base bíblica que subsidiasse determinada doutrina ou prática, precisaríamos de um versículo que, expressamente, justificasse tal doutrina ou a prática.

Cabe esclarecer que base bíblica se obtém não somente por meio de versículos que expressam algo textualmente, mas por meio das evidências, implicações e conclusões a que se chega interpretando um texto à luz de seu contexto, do livro como um todo e da Bíblia em sua totalidade.

A análise da Bíblia deixa evidente que ela se apresenta como sendo a revelação de Deus. E, em decorrência disso, as próprias Escrituras se constituem como a regra maior para questões de nossa fé e prática.

No Antigo Testamento, lemos como Deus conduziu seres humanos a escrever a sua vontade, os Dez Mandamentos e as diversas outras leis. Moisés recebeu a missão diretamente de Deus para transmitir ao povo a Lei divina. Assim, Moisés instruía o povo a observar toda a Lei, conhecê-la e praticá-la com zelo. Algum tempo depois, quando Josué estava prestes a entrar na terra que Deus prometera, o Senhor lhe disse que não parasse de observar a lei e que não se desviasse dela nem para a direita e nem para a esquerda. Se ele assim fizesse, seu caminho prosperaria (Js 1.7).

Também encontraremos a mesma referência no livro de Juízes. Os juízes que andavam segundo a Palavra de Deus conduziram a nação a uma reforma espiritual que foi seguida por um tempo de bênçãos e prosperidade. O mesmo padrão se deu na época da monarquia judaica. Um dia foi encontrado no templo de Salomão, em meio às ruínas, o rolo da Lei, e sua leitura promoveu um reavivamento espiritual naquele povo (2Rs 22.8). Os profetas de Israel fizeram o mesmo apelo ao povo para que amassem a Lei de Deus, que a guardassem e a seguissem. Em Salmos, podemos citar o salmo 119, no qual Davi faz um extenso tratado da Lei de Deus, com profundo amor, zelo e admiração. Veja:

> Bem-aventurados os irrepreensíveis no seu caminho, que andam na lei do SENHOR. Bem-aventurados os que guardam as suas prescrições e o buscam de todo o coração.
>
> Salmos 119.1-2

> Tomara sejam firmes os meus passos, para que eu observe os teus preceitos. Então, não terei de que me envergonhar, quando considerar em todos os teus mandamentos.
>
> Salmos 119.5-6

> De que maneira poderá o jovem guardar puro o seu caminho? Observando-o segundo a tua palavra.
>
> Salmos 119.9

> Guardo no coração as tuas palavras, para não pecar contra ti. Bendito és tu, Senhor; ensina-me os teus preceitos.
>
> Salmos 119.11-12

Fica claro que, já no Antigo Testamento, a Palavra de Deus revelada e escrita, publicada e anunciada era a regra para a vida diária do povo de Deus. Não havia outra fonte de autoridade. A Lei de Deus escrita era a autoridade máxima. Foram muitos os reformadores e profetas do Antigo Testamento que clamaram ao povo que retornasse à Palavra de Deus.

Quando Jesus veio ao mundo, ele fez o mesmo. O Senhor disse que não viera para revogar a Lei, mas para cumpri-la (Mt 5.17), e várias vezes ele citou as Escrituras do Antigo Testamento como base para suas ações (cf. Gn 2.24; 1Sm 21.1-6; Is 29.13; Os 6.6). Quando Satanás foi tentá-lo no deserto, e no diálogo que se deu ali, todas as falas da parte de Jesus foram em cima da Palavra de Deus. Por três vezes, diante das investidas de Satanás, a fim de tentar o Senhor, Jesus respondeu: "Está escrito" (Mt 4.1-11). Nos debates que o Mestre tinha com os fariseus, ele perguntava: "Vocês não leram?" (Mt 19.4), "Não está escrito na vossa lei?" (Jo 10.34). Em outra oportunidade, Cristo disse que as Escrituras não podem falhar (Jo 10.35). Para Jesus, as Escrituras sempre representavam a Palavra de Deus. Ele não só a conhecia muito bem como a citava frequentemente para justificar suas ações ou para se defender das armadilhas que lhe preparavam.

Os apóstolos do Senhor também se basearam na Palavra revelada de Deus aos profetas, a Moisés e por meio de Jesus.

Ou seja, os doze nos deram por escrito a interpretação correta da pessoa de Cristo e do significado de sua morte e ressurreição. Em seus escritos, fica claro que eles têm consciência de que estão falando e registrando a Palavra de Deus. No final da primeira carta aos coríntios, Paulo escreve: "Se alguém se considera profeta ou espiritual, reconheça ser mandamento do Senhor o que vos escrevo" (1Co 14.37). No início da primeira carta aos tessalonicenses, o apóstolo diz: "Vocês receberam minha palavra como Palavra de Deus" (1Ts 1.6). E é isso mesmo!

Ao se referir às cartas de Paulo, Pedro diz que elas são inspiradas juntamente com as demais Escrituras, isto é, o Antigo Testamento: "Ele trata dessas questões em todas as suas cartas. Alguns de seus comentários são difíceis de entender, e os ignorantes e instáveis distorceram suas cartas, como fazem com outras partes das Escrituras" (2Pe 3.16, NVT). Ao escrever a Timóteo, Paulo diz que "toda a Escritura é inspirada por Deus" (2Tm 3.16).

A conclusão é que não preciso de um versículo que me diga que a Bíblia é a autoridade maior na Igreja, porque tenho 66 livros que já me dizem isso. A Bíblia toda se diz Palavra de Deus. Seus mais diversos escritores sempre tomam por base os escritores anteriores para seus próprios escritos. O último livro da Bíblia, Apocalipse, é construído em cima de Daniel, de Ezequiel, das palavras de Jesus e do relato dos evangelhos.

Portanto, a Igreja Católica não aceita a Bíblia como única regra de fé e prática porque as Escrituras acabam por retirar a autoridade do papa. Se os católicos romanos levarem em consideração a primazia bíblica, como deve ser, então suas duas outras fontes de fé e prática terminam por ser subjugadas e enfraquecidas, a saber, o magistério da igreja e a tradição (dita apostólica). Especialmente durante a Idade Média, a igreja romana deixou de observar que a Bíblia é a única regra de fé e prática e, em decorrência, apareceram papas alegando que, quando se pronunciam *ex cathedra* (isto é, com a autoridade de quem tem determinado título), são infalíveis, pois supostamente estariam sendo inspirados por Deus. Desse erro surgiu uma avalanche de dogmas, todos extrabíblicos, estranhos à Palavra de Deus. O resultado é conhecido: canonização de santos e mediação junto aos homens, uso de imagens, veneração de Maria e dos santos, e o sacrifício feito na missa, entre outros. Na Reforma Protestante, os reformadores tanto insistiam no lema *Sola Scriptura* exatamente para que cessassem tais práticas estranhas à Palavra de Deus.

Sim, há base bíblica para o *Sola Scriptura.* A Bíblia toda, em seus 66 livros, se apresenta como sendo a revelação revestida da autoridade de Deus para nós. Não há absolutamente nada que se sobreponha à autoridade da Palavra de Deus para a Igreja de Cristo e para nossa vida. Não há teólogo, não há confissão de fé, não há concílio, papa, santo, descoberta da ciência ou o que for que esteja acima da inerrante e infalível Palavra revelada de Deus.

A BÍBLIA E AS TRAGÉDIAS DO MUNDO

Milhares de pessoas perdem a vida, a família, a casa e todos os seus bens, todos os anos, pelas mais variadas razões, ao redor do planeta. Como entender essas tragédias à luz da Bíblia, uma vez que cremos que Deus está no controle de todas as coisas?

Alguns anos atrás, ocorreu um *tsunami* na costa da Ásia que matou milhares de pessoas e afetou a vida de milhares de outras tantas. No Brasil houve quem, na tentativa de defender Deus, alegasse que ele não poderia ter feito nada, porque não conhece o futuro. Segundo esse pensamento, Deus não sabe o que vai acontecer e nem sempre resolve interferir em calamidades dessa natureza. Essa posição causou forte polêmica no meio evangélico.

Na verdade, a Bíblia nos apresenta Deus como sendo onisciente, onipresente e onipotente. Ou seja, Deus sabe todas as coisas, está em todo lugar e pode todas as coisas. Ele é infinito em seu ser, em sua sabedoria. Não há limites ao seu conhecimento e ao seu poder. Portanto, em nenhum momento podemos dizer que Deus não sabia de algo, que ele não tinha conhecimento de algum fato que ocorreria mais à frente.

Tampouco podemos afirmar que o Senhor não poderia ter evitado aquele *tsunami*. Isso seria negar alguns dos atributos de Deus.

A questão aqui é teológica. Se Deus é bom, justo e todo-poderoso, como é possível que em um universo criado por ele caibam catástrofes dessa natureza, que prejudicam a vida de milhares de pessoas inocentes? A resposta da Bíblia é que, primeiro, não há pessoas inocentes. Do ponto de vista bíblico, que é a perspectiva divina, não há pessoas inocentes. A Bíblia diz que todos pecaram e carecem da glória de Deus (Rm 3.23). Não há um justo, nem um sequer (Rm 3.10). Cada ser humano é indesculpável diante de Deus por suas atitudes. Não há ninguém que sempre consiga fazer o bem e que deixe de pecar. A Bíblia também diz que o salário do pecado é a morte (Rm 6.23). O resultado da desobediência, da quebra da Lei de Deus, é a imputação da ira de Deus sobre nós.

A verdade é que toda a humanidade se encontra sob o julgamento de Deus. Ele certamente é amor e é misericordioso, mas também é perfeitamente justo e reto. Deus não pode ver o pecado da humanidade de forma indiferente ou passiva. A ira de Deus se acende todos os dias contra povos, indivíduos e nações que o desafiam. Aqueles que adoram outros deuses, praticam a imoralidade, rejeitam a sua revelação, maltratam o próximo, oprimem o seu semelhante e tomam atitudes similares a essas não passam impunes diante da justa ira do Senhor.

Desse modo, não devemos pensar que as tragédias são resultado de algum pecado individual de alguém, mas são, sim, o resultado da ira de Deus sobre um mundo que sempre esteve contra ele. Com isso não estou querendo dizer que o povo do país *x* ou *y* é mais rebelde que o brasileiro, por exemplo. Na verdade, somos todos "farinha do mesmo saco". O nosso coração é rebelde contra Deus. Aqui, no Nepal, na China, nos Estados

Unidos, onde quer que seja. Nossa humanidade vem do mesmo tronco, que existe em estado de rebelião contra o Senhor.

É interessante observar que a mesma tragédia alcança os que creem em Jesus Cristo como Senhor e Salvador e os que não creem (Ec 9.2). Para os que creem, uma tragédia como essa faz parte de um processo de santificação, correção, edificação, em que Deus usa a dor e o sofrimento para nos ensinar a depender dele e a almejar a casa do Pai. Para aqueles que rejeitam a Deus, essas tragédias já são uma antecipação do juízo eterno e do sofrimento que se aproxima no lago de fogo e enxofre (Ap 20.10,15). Embora seja a mesma tragédia, haverá consequências diferentes que se manifestarão na prática, a depender da fé ou não em Cristo.

Quando a Bíblia diz: "Os céus proclamam a glória de Deus, e o firmamento anuncia as obras das suas mãos" (Sl 19.1), isso inclui as tragédias. Somamos isso ao que Paulo fala: "A ira de Deus se revela do céu contra toda impiedade e perversão dos homens que detêm a verdade pela injustiça" (Rm 1.18). O céu, nessa passagem, não é o lugar onde Deus mora, mas o céu que olhamos e contemplamos, o céu físico. A criação, a natureza ao nosso redor, mostra que há um Deus e que ele está irado porque os homens rejeitam a sua revelação e voltam-se para adorar a própria natureza em vez de adorar o Criador.

Deus, então, para mostrar sua ira e sua santidade, já revelando em antevisão uma amostragem do que é o inferno que aguarda os impenitentes, permite que essas tragédias aconteçam. São tragédias que mostram o poder de Deus, revelam como dependemos dele, denunciam nossa pecaminosidade, expõem como somos vulneráveis e impotentes diante dele. Os eventos ruins da vida deixam claro como somos pequenos e sem controle dos fatos. Em vista disso, Deus usa todas essas coisas para nos trazer ao arrependimento, promovendo reflexão de nossa parte a respeito de tudo isso. O objetivo de Deus é que admitamos nossos pecados e nos voltemos, humilhados e arrependidos, a ele. É, ainda, uma oportunidade para expressar amor ao próximo, mostrar compaixão, demonstrar cuidado com as pessoas afetadas pelas tragédias. Devemos conclamar todas as pessoas a não só olhar tais tragédias e dizer: "É Deus quem está promovendo todo esse sofrimento; por isso, não há nada que possamos fazer". Esse também é um chamado para ajudar, orar, clamar. É uma oportunidade para a Igreja praticar as boas obras e ajudar os que sofrem.

Em resumo, é claro que Deus sabe de todas as coisas. As tragédias trazem o juízo temporal dele sobre a humanidade e são uma antecipação do juízo eterno que se aproxima e, depois dele, o inferno, local onde os pecadores sem arrependimento haverão de sofrer e pagar por sua desobediência por toda a eternidade. Portanto, não há inocentes. Somente o evangelho de Jesus Cristo pode nos livrar da ira futura. Essa é a razão pela qual Deus mandou seu Filho unigênito ao mundo. Na cruz, ele experimentou a dor, o sofrimento, a ira de Deus, a ponto de dizer: "Deus meu, Deus meu, por que me desamparaste?" (Mc 15.34).

Jesus é o caminho para o Pai. Aquele que crê em Jesus tem a vida eterna e é livre da ira vindoura já a partir daqui. Isso, contudo, não quer dizer que não estejamos sujeitos a passar por tragédias. A boa notícia é que a tragédia maior, incomparável com qualquer outra, não mais acontecerá àqueles que estão em Cristo.

A BÍBLIA E O RACISMO

O racismo é uma das maiores mazelas da sociedade no que diz respeito às relações humanas. Tal pensamento parte do pressuposto de que há pessoas melhores que as outras, por causa de sua ascendência, cor da pele, diferenças étnicas e raciais. É um comportamento que desqualifica as boas relações entre as pessoas como um todo. Como tudo em nossa vida, devemos tratar desse tema à luz da Bíblia.

O racismo parece ser um sistema de valores e comportamentos que está impregnado na mentalidade humana de tal forma que, infelizmente, pode ser encontrado em todo o lugar. Morei na África do Sul na época do *apartheid* e pude ver o racismo de perto por lá. Morei também nos Estados Unidos, na Europa e agora moro no Brasil. Em todos esses lugares, vi formas diferentes de racismo; porém, em todas as regiões, o racismo consiste na mesma coisa: atribuir valor a uma pessoa por sua ascendência e, com base nisso, tratá-la com desdém, desprezo e, em casos extremos, agredi-la. Em suma, é dar a alguém um tratamento negativo em virtude de sua origem.

No Brasil e em todos esses lugares em que morei, com exceção da África do Sul na época em que lá estive, o racismo é considerado crime. Em nosso país é, inclusive, um crime inafiançável, previsto na própria Constituição Federal em seu artigo 5º. Por aqui, até por uma piada racista a pessoa pode ser processada criminalmente. Há algum tempo, um pregador neopentecostal bastante conhecido causou furor nas redes sociais e na mídia em geral porque identificou os africanos como sendo descendentes de Cão, filho amaldiçoado por Noé. Isso é uma espécie de racismo disfarçado de religião.

Na África do Sul da época do *apartheid*, as leis segregacionistas abrangiam indianos e mestiços. Entre os próprios negros havia diferença de uma tribo para outra, que não se davam bem entre si. E entre os brancos havia aqueles de ascendência holandesa e os de ascendência inglesa. Em todas essas diferenças havia atitudes racistas. Quando morei na Holanda, percebia-se que a "raça" considerada inferior era a turca. Muitos turcos chegavam à Holanda para procurar emprego e então se formava toda uma animosidade, uma xenofobia. Nos Estados Unidos, os negros e os brancos se desentendem. Até hoje essa questão é problemática por lá. De onde vem tudo isso? Do coração do homem.

Na época de Cristo, já havia um racismo terrível, e ele dividia o mundo. Começava, do ponto de vista bíblico, com os judeus. Eles não entenderam corretamente que Deus havia separado a nação de Israel das outras nações para ser um canal de bênção para elas e não para que se considerassem especiais. Os judeus pensavam que eram especiais e, portanto, superiores. Desse modo, o judeu não se misturava com pessoas de outras etnias. Não havia qualquer convívio social, tão somente relações comerciais. Sentiam-se à vontade, inclusive, para justificar um tipo de extorsão, já que era feito com aquelas "raças inferiores" à dos judeus.

Esse racismo já havia se desenvolvido particularmente no que se referia a um povo mestiço, os samaritanos. Eles eram uma mistura de judeus com gente da Babilônia, que havia sido trazida pelo rei da Assíria para morar no Reino do Norte, depois de tê-lo conquistado. Isso aconteceu cerca de seiscentos anos antes de Cristo. Eles eram, portanto, uma mistura de judeus com gentios. Não é de admirar o episódio em que os discípulos encontram Jesus conversando com uma mulher samaritana, quebrando o preconceito racial.

> Então, lhe disse a mulher samaritana: Como, sendo tu judeu, pedes de beber a mim, que sou mulher samaritana (porque os judeus não se dão com os samaritanos)? Replicou-lhe Jesus: Se conheceras o dom de Deus e quem é o que te pede: dá-me de beber, tu lhe pedirias, e ele te daria água viva.
>
> João 4.9-10

O próprio Jesus contou uma parábola na qual o herói era precisamente um samaritano que acudiu um judeu que havia sido espancado por salteadores e deixado à beira do caminho. Com isso, Jesus nos deixa a mensagem de que temos de amar o próximo, não importa quem seja (Lc 10.30-37).

Quando o apóstolo Paulo começou a pregar o evangelho a todas as nações — e aos gentios, particularmente —, isso causou confusão entre os primeiros cristãos, que eram judeus e não haviam entendido que Deus é Deus de todos os povos. Eles, inclusive, confrontaram Pedro, porque ele fora pregar na casa de Cornélio, um não judeu, querendo saber por que havia pregado para alguém que não era da raça judaica. Pedro explicou que Deus o havia orientado a pregar o evangelho aos gentios. Estes haviam recebido o Espírito Santo da mesma forma que os judeus no Pentecoste, quando creram em Jesus Cristo. E, nas palavras do próprio Pedro, Deus assim mostrou que não faz acepção de pessoas, purificando tanto judeus quanto não judeus ao enviar o Espírito Santo enviado ao coração deles.

Mais tarde, quando Paulo aparece e passa a pregar o evangelho a não judeus, cria-se uma polêmica muito grande. Paulo era perseguido constantemente pelos judeus, pois estes achavam inadmissível que o Deus de Israel também concedesse salvação a outras raças que eles consideravam inferiores.

Há solução bíblica para o racismo? Sim, há. Quando morei na África do Sul, nos tempos do *apartheid*, as leis proibiam que os brancos se relacionassem com os negros. Os bairros eram separados, as filas, os banheiros, as praias, tudo. Tive a oportunidade de conhecer um lugar chamado "consciência banta", uma missão iniciada por um pastor da Alemanha, luterano. Na década de 1960, essa missão experimentou um grande avivamento espiritual. Milhares de zulus se converteram na tribo em que esse pastor luterano atuava. Quando estive lá com minha esposa, visitamos três vezes o local e ficamos admirados por ver negros, brancos, indianos e mestiços juntos, todos na mesma fila, sentados à mesma mesa e partilhando o mesmo pão. Vi, portanto, muito claramente, que a solução para o racismo é o evangelho de Jesus Cristo, que muda o coração do homem, trazendo amor ao próximo e fazendo que todos se entendam e compreendam que todos pecaram e carecem da glória de Deus (Rm 3.23).

À luz do evangelho, não há distinção entre brancos e negros ou entre quaisquer pessoas de quaisquer raças ou etnias. Somos todos participantes da mesma humanidade decaída e precisamos todos do mesmo remédio, que é Cristo, nosso Senhor. A igreja deveria ser o local onde o racismo fosse impensável, pois em Jesus não há mais essa distinção. Devemos amar a todos nossos irmãos independentemente de raça, cor, procedência cultural ou qualquer traço que a pessoa tenha.

Se, infelizmente, houver qualquer igreja cristã em que exista racismo, devemos saber que isso é falta de instrução bíblica da parte dos pastores e falha dos líderes, que devem levar a sério o que diz a Palavra de Deus. Racismo é pecado! E, como todo pecado, deve ser combatido com seriedade. Que Deus nos ajude a entender isso e a tratar todos com igualdade!

POR QUE DEVEMOS ORAR?

Devemos orar porque há um Deus que nos escuta. Há um Deus que criou os céus e a terra, o mar e tudo o que neles há. Esse Deus é todo-poderoso. Por isso, ele pode responder a qualquer oração que esteja, é claro, dentro de sua vontade.

Como Deus é onisciente, ele escuta a oração. Como Deus é onipresente, ele está em todo lugar e pode ouvir-nos onde quer que estejamos. Como Deus é onipotente, ele pode atender e nos dar a resposta que precisamos para nossas orações, sejam elas pelo que forem. Deus nos ouve e é todo-poderoso.

Se Deus fosse o deus de determinadas religiões orientais, que não é um deus pessoal, mas simplesmente uma força que permeia o universo e a realidade, então a oração não faria sentido. Aliás, a oração não faz sentido em muitas religiões fora do cristianismo. O deus dessas religiões não é alguém com quem você possa se relacionar, mas é somente uma força que magnetiza e mantém a coerência do universo. Esse tipo de oração é, na verdade, uma meditação, prática na qual não existe um deus pessoal com o qual você possa se relacionar. A alternativa à oração é meditar, "olhar para dentro de si", "procurar seu eu interior".

A própria ideia da oração pressupõe a existência de um Deus pessoal, que escuta, se interessa e está disposto a atender ao clamor daqueles que o procuram. Ele mesmo nos incentiva a isso por meio das Escrituras. Há centenas de versículos na Bíblia nos quais é encorajado o ato de buscar a Deus e invocar seu nome, pondo diante dele nossos pedidos (cf. Pv 15.29; Jn 2.7; Tg 5.15-18; 1Pe 3.12; 4.7; Mt 21.13, 22; Mc 11.24). Jesus mesmo contou várias histórias a seus discípulos com o intuito de incentivá-los a orar, com promessas: "Ora, se vós, que sois maus, sabeis dar boas dádivas aos vossos filhos, quanto mais vosso Pai, que está nos céus, dará boas coisas aos que lhe pedirem?" (Mt 7.11); "Pedi, e dar-se-vos-á; buscai e achareis; batei, e abrir-se-vos-á" (Mt 7.7). Portanto, a Bíblia nos encoraja, estimula e convida a apresentar todas as nossas necessidades e todos os nossos pedidos a Deus. É por isso que devemos orar.

A oração revela nossa profunda fragilidade. Se eu tivesse o controle da situação e pudesse resolver todos os problemas que me aparecem, suprir todas as minhas necessidades, por que eu oraria? Por que eu pediria a outro ser para cuidar de mim se eu mesmo pudesse fazer isso? Sendo assim, enquanto a oração pressupõe a existência de Deus, pressupõe também minha fragilidade. É uma admissão de nossa limitação, de que não somos senhores do universo, de que somos vulneráveis, fracos e precisamos de ajuda. Para muitos, é difícil orar porque é difícil para eles pedir ajuda. O orgulho do coração evita que a pessoa se dirija a Deus sinceramente, em quebrantamento, esvaziado de si. O orgulho talvez seja o maior empecilho que temos à oração.

SE DEUS SABE TUDO, PARA QUE ORAR?

Muita gente tem dúvidas quanto a este aparente paradoxo: se Deus já sabe do que precisamos antes mesmo que abramos a boca, então para que precisamos orar?

Orar é se dirigir a Deus e colocar diante dele nossas necessidades, prestar a ele a adoração devida, expressar nossa gratidão e nossas dúvidas. É, enfim, a forma mais elevada de relacionamento com Deus que pode existir. Nós, cristãos, temos o privilégio de nos achegar intimamente a Deus, o Criador de todas as coisas, de forma direta, por meio de Jesus Cristo. Não precisamos da mediação de homens ou de uma instituição eclesiástica. Não precisamos estar num determinado lugar ou orar virados para um determinado templo. Não precisamos orar em determinado horário. Em qualquer momento, em qualquer lugar ou situação, deitado, andando, caminhando, praticando esportes, dirigindo, como for, eu posso me achegar à presença de Deus. Posso colocar diante dele minhas preocupações, dúvidas e súplicas. Posso e devo agradecer-lhe pelas bênçãos recebidas, derramar meu coração... Que privilégio é orar!

A questão sobre se Deus já sabe de que temos necessidade, então por que orar é bastante antiga. A Bíblia não procura resolvê-la, não nos dá nenhuma resposta direta para essa pergunta. O que a Escritura faz é apresentar a necessidade de orar (cf. Sl 4.3; Is 65.24; Pv 16.3; 28.9; Mt 6.7-13; 7.7-8; 21.22; Mc 11.24; Jo 14.13-14; Rm 8.26-27; Ef 6.18; Tg 5.16).

A Bíblia recomenda a oração, por exemplo, nas parábolas de Jesus, especialmente a da viúva que bate na porta do juiz, insistindo para que ele julgue seu caso. O juiz se recusa, mas, de tanto a viúva insistir, ele acaba atendendo, e Jesus diz que o Pai faria isso com aqueles que se achegassem a ele em persistente oração (Lc 18.1-8). Ele mesmo disse: "Pedi, e dar-se-vos-á; buscai e achareis; batei, e abrir-se-vos-á" (Mt 7.7). E ele fazia a comparação: "E qual dentre vós é o homem que, pedindo-lhe pão o seu filho, lhe dará uma pedra? E, pedindo-lhe peixe, lhe dará uma serpente? [...] quanto mais vosso Pai, que está nos céus, dará bens aos que lhe pedirem?" (Mt 7.9-11).

Além das orientações diretas, temos o exemplo do próprio Jesus e dos apóstolos. A Bíblia registra que Cristo se retirava com frequência, passando às vezes noites inteiras em oração (Mt 26.36; Lc 6.12-13). Pedro, Paulo e João, lemos no livro de Atos, costumavam se reunir para orar. A igreja apostólica se reunia para orar, buscando a Deus constantemente (At 2.42; 3.1).

Na ocasião da ressurreição de Lázaro, Jesus disse que Deus Pai o havia atendido (Jo 11.41). É interessante observarmos que Jesus sabia que o Pai o escutava o tempo todo e, mesmo assim, orou a ele antes de trazer Lázaro de volta à vida. A Bíblia está cheia de exemplos, ilustrações e orientações sobre a questão da oração, encorajando-nos o tempo todo a buscar a presença de Deus, a fim de colocar diante dele as nossas necessidades. Entretanto, a mesma Bíblia diz que o Senhor não só sabe de todas as coisas, mas também quis que todas essas coisas acontecessem. Deus está no controle de tudo, não pode ser apanhado de surpresa de maneira alguma. Ele é imutável, não muda sua vontade. Seu querer é firme (Ml 3.6). O Senhor é absolutamente soberano no controle do universo, na orientação de todas as coisas. Não somente ele sabe de tudo, como nada acontece fora de sua vontade.

Muitos questionam essas realidades a partir de passagens como aquela em que o profeta Isaías é enviado por Deus para dizer ao rei Ezequias que este morreria: "Coloque em ordem a sua casa porque morrerás e não viverás" (2Rs 20.1). Em vez de fazer seu testamento, Ezequias se vira para Deus no leito de sua enfermidade e suplica por sua vida (2Rs 20.2-3). Deus, então, manda Isaías retornar; e o profeta diz ao rei: "Deus ouviu sua oração e lhe dará mais quinze anos de vida" (2Rs 20.4-6). Ora, se Deus já havia determinado todas as coisas, como ele mudou de ideia? Em suma, Deus já havia determinado o fim de Ezequias, mas, mediante a oração do rei, o Senhor muda o seu destino. É isso? Na verdade, não. O plano de Deus desde o princípio era o mesmo: ensinar Ezequias a depender dele, mostrar como o Senhor recompensa a fidelidade, expor a misericórdia divina e, por fim, deixar claro que Deus está disposto a atender à oração.

De uma forma que foge à compreensão humana, nossas orações são de fato ouvidas por Deus, e ele as atende. Isso sempre ocorre, no entanto, dentro de seu desígnio eterno, concebido antes da fundação do mundo, na eternidade. Deus já havia planejado todas as coisas. De fato, é um mistério que não se explica racionalmente.

Essa relação entre a soberania de Deus e a responsabilidade humana é muito presente na Bíblia. Não só na questão da oração, mas também na da salvação. É o antigo debate entre a soberania de Deus na salvação e a responsabilidade humana, que tem a ver com a questão do arbítrio, da escolha humana. No fim, o que precisamos fazer é afirmar estas duas verdades: Deus sabe de tudo, é soberano e está no controle de tudo, mas eu tenho de orar. Deus quer que eu ore, que eu peça. Se não pedirmos, então, Deus nos dirá: "Nada tendes, porque não pedis" (Tg 4.2). Mas temos de pedir da forma correta: em nome de Jesus e dentro de outros requerimentos que a Bíblia nos recomenda. Acima de tudo, nunca podemos esquecer: "Orai sem cessar" (1Ts 5.17).

POR QUE DEVEMOS ORAR EM NOME DE JESUS?

Para entendermos por que a oração deve ser feita em nome de Jesus, devemos entender primeiro a natureza do pecado e como ele nos separou de Deus. O pecado é desobediência à vontade de Deus, é quando fazemos o que Deus diz que não deve ser feito e quando deixamos de fazer o que Deus diz que deve ser feito. Todos somos pecadores. Deus é santo e não pode atender pecadores. Sua santidade impede que ele contemple o mal. Quando Deus olha para nós, vê somente injustiça, e se ira diante disso. Dessa forma, sua justiça reivindica que paguemos com nossa vida, com nossa alma, a culpa por termos violado seus mandamentos. Assim, para que tenhamos um relacionamento com esse Deus pessoal, é primeiro necessário que resolvamos o problema do nosso pecado.

Aproximadamente seiscentos anos antes de Cristo, o profeta Isaías disse: "Eis que a mão do SENHOR não está encolhida, para que não possa salvar; nem surdo o seu ouvido, para não poder ouvir. Mas as vossas iniquidades fazem separação entre vós e o vosso Deus; e os vossos pecados encobrem o seu rosto de vós, para que vos não ouça" (Is 59.1-2).

Como Deus pode, então, remover o pecado? Como ele retira esse empecilho que há entre nós e ele? A resposta é Jesus Cristo. Ele veio morrer por nossos pecados, levar sobre si a condenação que nossa culpa merece. Por isso, ele se tornou mediador entre Deus e os homens. Portanto, quando Deus olha para mim, na verdade ele olha para Cristo. Com isso, sua ira é aplacada e sua justiça se cumpre, porque Cristo a cumpriu de maneira ativa e passiva, e eu posso, agora, ter livre acesso a Deus. É por essa razão que a Bíblia diz que há só um Deus e um só mediador entre Deus e os homens, Jesus Cristo (1Tm 2.5). O próprio Jesus disse: "Eu sou o caminho, e a verdade, e a vida; ninguém vem ao Pai senão por mim" (Jo 14.6).

O cerne da oração é irmos a Deus em nome de Jesus. Ou seja, por meio da obra de Jesus. E o que isso significa na prática? Que, quando eu orar, não direi a Deus que peço porque mereço, porque tenho direito, que eu "demando", que eu "reivindico", que eu "declaro". Esses argumentos meritórios não funcionam com Deus, porque Deus sabe que não temos mérito nenhum em nada. Somos todos pecadores. Mas há um argumento que faz que Deus nos ouça: "Em nome de Jesus". Por causa de Jesus e de sua obra em nosso favor. Por causa daquilo que Jesus fez.

Mas até isso o ser humano complica. Há pessoas que usam o nome de Jesus como uma espécie de talismã, um amuleto da sorte, algo místico que só de ser pronunciado fará portas se abrirem de forma mágica. Nada disso. A oração feita em nome de Jesus não é mágica. O nome de Jesus não é um mantra, mas um meio de nos achegarmos ao Pai com o coração quebrantado e confiando somente nos méritos de Jesus Cristo.

DEUS OUVE A ORAÇÃO DE QUALQUER PESSOA?

A Bíblia diz que Deus ama sua criação e cuida da obra das suas mãos. Há vários salmos que descrevem de maneira bem gráfica, poética, o cuidado de Deus com o resultado de sua ação criadora. O Senhor cuida dos animais, provê chuva e concede benefícios a todas as pessoas, indistintamente. No Sermão do Monte, Jesus disse que nosso Pai é Deus misericordioso, que faz que o seu sol e a sua chuva venham sobre os ímpios e os justos (Mt 5.45). Ou seja, há uma medida ou nível de bênção que Deus concede à sua criação, independente do *status* religioso do indivíduo. Quer seja ímpio, quer seja ateu, quer seja idólatra, quer seja justo, Deus abre a mão e satisfaz todos com saúde, prosperidade, alegria e outras bênçãos. Isso é fruto da graça comum, resultado do amor criador de Deus.

Nesse contexto, eu não teria dificuldade em ver Deus atender à súplica de uma pessoa que está passando por grande angústia. Mesmo que a pessoa não creia, não entenda o evangelho ou não compreenda com clareza a mediação de Cristo. Mesmo que o indivíduo não seja crente em Jesus, convertido e arrependido, no íntimo de seu coração ainda há aquela semente de Deus, chamada de imagem de Deus no homem, que a queda "amarrotou", mas não destruiu.

Às vezes, num momento de grande aflição e angústia, pessoas que passam a vida toda sem buscar e orar a Deus erguem um clamor. Eu não vejo nada na Bíblia que impeça o Senhor de atender à súplica de suas criaturas. O problema é que o fato de tais pessoas não terem o conhecimento de Deus faz que todo benefício que elas recebem dele termine por ser atribuído a seus ídolos, seus deuses. Contudo, ainda assim, isso não impede Deus de lhes fazer o bem. Ele não deixará de ser quem é por isso.

Em contrapartida, a Bíblia diz que até a oração do ímpio é iniquidade diante de Deus (Pv 28.9). Por ser santo, justo e verdadeiro, Deus quer que as pessoas o conheçam, o amem e o sirvam "em espírito e em verdade" (Jo 4.24). Assim, mesmo que Deus atenda ao clamor desesperado de suas criaturas, isso não tem nenhuma implicação salvadora. E aqui há uma importante distinção que devemos fazer: a oração que Deus espera que façamos é a de arrependimento, aquela em que reconhecemos que somos pecadores, ímpios, que falhamos diante dele, que dependemos dele e que recebemos o Senhor Jesus Cristo como nosso Senhor e Salvador e nele cremos. Essa é a oração mais importante que uma pessoa pode fazer durante toda a sua vida. Ela pode pedir saúde a Deus ou livramento de um problema e, como o Senhor é misericordioso e bom, pode até atender. Mas o fato de Deus atender até mesmo a quem é ímpio não significa que ele aceite aquela pessoa como seu filho a fim de ter perdão de pecados e a vida eterna.

Alguém pode receber bênçãos materiais, saúde, prosperidade, livramento de problemas e muitos outros benefícios da parte de Deus. Porém, essa pessoa pode morrer em dado momento e ir para o inferno, condenada pelos próprios pecados.

Isso ocorre porque há uma distinção entre o amor de Deus como criador e mantenedor de todas as coisas e o amor salvador, que é manifestado e dado somente àqueles que se arrependem de seus pecados e se voltam para Deus em fé na obra perfeita e completa de Jesus Cristo na cruz do Calvário.

Em suma, em sua misericórdia, dentro de sua vontade e de seus propósitos, Deus pode atender à oração de pessoas que não o conhecem ainda. Cornélio, por exemplo, era um centurião romano não crente, que não conhecia o Senhor Jesus Cristo. O anjo apareceu a ele e disse: "As tuas orações e as tuas esmolas subiram para memória diante de Deus. Agora, envia mensageiros a Jope e manda chamar Simão, que tem por sobrenome Pedro. Ele está hospedado com Simão, curtidor, cuja residência está situada à beira-mar" (At 10.4-6). Cornélio não era crente, ele não conhecia Jesus e, embora fosse temente ao Deus do judaísmo, não era convertido. Todavia, Deus tinha escutado suas orações. Pedro, então, vai anunciar a verdade de Cristo para aquele homem.

Deus ouve o clamor do oprimido e do aflito. Há várias passagens no Antigo Testamento em que Deus atende ao clamor do pobre, dos órfãos e das viúvas. Não que, necessariamente, essas pessoas tenham de ser crentes para que possam ser atendidas por Deus. Mas, em razão do amor que ele tem por suas criaturas e da sua providência, o Senhor pode atender, sim, à oração de uma pessoa não convertida.

O JEJUM BÍBLICO

Biblicamente falando, o jejum é a abstinência de todo tipo de alimentação, às vezes até mesmo de água, por um período de tempo, com o objetivo de dedicar-se à oração, à comunhão com Deus, ao exame da alma e, por vezes, como expressão de quebrantamento, tristeza e arrependimento diante de Deus.

No Antigo Testamento, havia dias de jejum específicos no calendário dos judeus. Eram épocas em que a nação inteira jejuava, às vezes por dias. Nesses períodos, eles afligiam sua alma, humilhavam-se diante de Deus, confessavam seus pecados, se quebrantavam e renovavam sua aliança e o propósito de viver para o Senhor.

O Antigo Testamento mostra homens de Deus que conclamaram o povo a jogar fora seus ídolos, arrepender-se e voltar-se para Deus. O jejum era parte da evidência da consternação, da dependência do Senhor (cf. Êx 34.28; Jz 20.26; 1Rs 19.8; 2Cr 20.3). Já no Novo Testamento, o jejum tem o propósito de exercício espiritual, que visa a mortificar a carne, subjugar os desejos pecaminosos, elevar o espírito, entristecer o homem diante de Deus.

Mesmo na época do Antigo Testamento, o real propósito santo do jejum era distorcido. Já havia pessoas que o praticavam de forma errada e pelo motivo errado. Queriam conseguir coisas que Deus não prometeu dar por meio do jejum. Achavam que essa prática tivesse em si algo mágico. Muitas pessoas pensam assim hoje. O ato de jejuar é, muitas vezes, como uma espécie de talismã, garantia de bênçãos que coloca Deus como um escravo de nossos pedidos. Na verdade, em termos bíblicos, caso o jejum não seja acompanhado de uma atitude espiritual correspondente, não valerá absolutamente nada.

O jejum deve vir acompanhado de quebrantamento, arrependimento, confissão de pecados, humilhação diante de Deus, tempo de oração e dedicação ao Senhor. A relação com Deus é absolutamente priorizada durante essa prática. Nas vezes em que pratiquei o jejum, percebi que a oração era mais intensa. Parece que há uma relação entre o abatimento do corpo e a elevação do espírito nesse tempo em que nos alimentamos do próprio Deus.

O jejum tem de ocorrer concomitantemente a meditação, oração, leitura da Escritura, quebrantamento, súplicas. O jejum é apropriado em momentos de crise, calamidade pública, doenças na família e crises existenciais. Tire um tempo para ficar diante de Deus. Abstenha-se de comer, talvez até de beber, um dia, dois ou o tempo que você aguentar. E, quando jejuar, jejue para Deus. Não precisamos contar às pessoas que estamos jejuando. Jesus ensinou:

> Quando jejuardes, não vos mostreis contristados como os hipócritas; porque desfiguram o rosto com o fim de parecer aos homens que jejuam. Em verdade vos digo que eles já receberam a recompensa. Tu, porém, quando jejuares, unge a cabeça e lava o rosto, com o fim de não parecer aos homens que jejuas,

e sim ao teu Pai, em secreto; e teu Pai, que vê em secreto, te recompensará.

Mateus 6.16-18

Ao dizer isso, Jesus quis corrigir a atitude dos fariseus, que usavam o jejum para aparecer publicamente diante dos homens. Desgrenhavam a barba e andavam curvados, para que ninguém tivesse dúvidas de que eles estavam jejuando. As pessoas, então, pensariam: "Como esse homem é santo!". Mas esse jejum não significa nada para Deus.

Há uma passagem interessante na Bíblia sobre o jejum. Em certo momento de seu ministério, o profeta Isaías dirigiu-se ao povo de sua época, que estava achegando-se a Deus e questionando por que, apesar de seu jejum, o Senhor não respondia. Os invasores assírios e babilônios estavam à porta, mas Deus não dizia nada. A resposta que veio por meio de Isaías foi: "Seria este o jejum que escolhi, que o homem um dia aflija a sua alma, incline a sua cabeça como o junco e estenda debaixo de si pano de saco e cinza? Chamarias tu a isto jejum e dia aceitável ao SENHOR?" (Is 58.5). É como se Deus dissesse: "Um momento. O que você considera jejum? Você tira um dia para ficar sem comer, veste pano de saco, joga cinza sobre a cabeça, fica em praça pública prostrado em cima de um pedaço de pano para todos verem e chama isso de jejum?". Deus então diz:

Porventura, não é este o jejum que escolhi: que soltes as ligaduras da impiedade, desfaças as ataduras da servidão, deixes livres os oprimidos e despedaces todo jugo? Porventura, não é também que repartas o teu pão com o faminto, e recolhas em casa os pobres desabrigados, e, se vires o nu, o cubras, e não te escondas do teu semelhante? Então, romperá a tua luz como a

> alva, a tua cura brotará sem detença, a tua justiça irá adiante de ti, e a glória do Senhor será a tua retaguarda.
>
> Isaías 58.6-8

Essa passagem mostra que o povo judeu estava acostumado com a instituição do jejum, era algo que já constava de seu calendário. Quando chegava o dia, eles simplesmente passavam fome, cumprindo um ritual. Não havia qualquer mudança interior. Deus, então, diz que esse não era o jejum que ele queria. Se quisessem fazer algo que realmente agradasse ao Senhor, deveriam, como dito nos versos citados, ajudar os pobres, deixar o pecado, quebrar o jugo da iniquidade, parar de oprimir os inocentes, cessar a prática da violência, andar nos caminhos de Deus.

Em outras palavras, não adianta jejuar se isso não vier acompanhado de arrependimento, um proceder santo, mudança de atitude e vida de oração. Jejum como um ato religioso, que leva alguém a apenas passar fome, não tem absolutamente valor algum.

5

DIFICULDADES SOBRE SEXO, FAMÍLIA E CASAMENTO

QUANDO SE DÁ O CASAMENTO?

Muitos cristãos têm dúvidas sobre o que define um casamento à luz das Escrituras, se o contrato civil, a união estável ou a relação sexual. Penso que a resposta seja o contrato civil. O casamento é de fato um contrato feito entre um homem e uma mulher perante a sociedade e diante de Deus. A rigor, dizemos que, em governos laicos, quem casa de fato é o Estado, na figura do juiz de direito, que assina e protocola o contrato de casamento.

Um ministro de qualquer confissão religiosa na verdade não faz o casamento. Se ele realiza o casamento religioso com efeito civil, o faz somente em representação do juiz de direito. O que a igreja faz é pedir a bênção de Deus sobre aquela união. A rigor, o casamento está ligado à instituição civil.

Por que é importante sabermos disso? Porque, segundo a Bíblia, o casamento antecede a religião. Em Gênesis, vemos que Deus criou homem e mulher, ordenando-lhes que crescessem e se multiplicassem. Dessa união, o casal seria uma só carne. Depois disso veio o pecado, o casal caiu do estado de pureza em que foi criado e, só então, surgiu o conceito de religião. Religião é basicamente todo o processo de religação do homem a Deus. Fica claro, na cronologia bíblica, que a religião é posterior ao casamento. Portanto, o matrimônio é uma instituição de Deus para toda a raça humana, independentemente de o indivíduo ser ateu, cristão ou fiel de qualquer outra religião ou credo. O plano divino para o casamento abrange a humanidade como um todo. Por isso, as igrejas podem apenas invocar as bênçãos de Deus sobre o casamento e não lidar com seus efeitos civis.

Situação diversa vemos em casos em que igreja e Estado se confundem, como ocorreu com Israel nos tempos do Antigo Testamento. Peguemos o exemplo de Abraão, representante supremo da nação e, também, líder espiritual. É o típico caso de união entre igreja e Estado. Assim, Abraão podia celebrar casamentos. O mesmo é verdade com outros personagens bíblicos, como Moisés.

Na medida em que a nação de Israel foi se sofisticando política e civilmente, surgiu a organização por categorias e ofícios, como a classe de sacerdotes, os chefes de tribos e o Sinédrio. Ainda assim, toda a complexidade da organização civil estava entrelaçada com a religião. Israel era um Estado religioso e, por essa razão, encontramos o que parece ser uma confusão desses dois aspectos no Antigo Testamento. Quando alguém se casava no antigo Israel, a cerimônia poderia ser feita diante do líder da tribo, do profeta ou do juiz. Isso porque — talvez com exceção do profeta — tais pessoas tinham uma relação com o Estado ao mesmo tempo que exerciam as funções religiosas.

Pensemos no casamento de Isaque e Rebeca. Quando ela apareceu diante dele, logo Isaque levou-a para a tenda e a possuiu, tornando-a sua mulher. Alguns dizem que o casamento se resumiu a isso, o que é, claramente, um engano interpretativo da situação. Lembremos que Abraão chamou seu servo e deu-lhe uma procuração para buscar uma esposa para Isaque. O servo chegou às terras em que habitava Rebeca, conversou com o pai da moça, disse quem representava e que o intuito do patriarca era conseguir uma noiva para seu filho e herdeiro. Então perguntaram a Rebeca se ela desejava ir até Isaque, e ela aceitou. Ou seja, votos foram feitos. Vemos que houve todo um percurso, uma cerimônia, até que se concretizasse o enlace matrimonial entre o casal. É importante perceber que o chefe do clã, pai de Rebeca, consentiu com o casamento, isto é, deu autorização legal para ela se casar. Portanto, quando Rebeca foi ao encontro de Isaque, já foi na condição de sua esposa. O encontro do casal na tenda foi somente a consumação de um casamento efetivado com as regras vigentes à época.

O que faz o casamento é o contrato, o compromisso, o juramento, o "sim" que é dado. A relação sexual é somente a consumação de um contrato já feito. Logo, o sexo, por si só, não constitui casamento, tampouco a união estável, que ocorre somente para efeito de herança, compartilhamento de bens ou dívidas, direitos e obrigações perante a legislação brasileira. Mas união estável não é substituto para o casamento. A própria lei pátria faz a distinção entre matrimônio e união estável.

CASAMENTO EM JUGO DESIGUAL

É comum haver dúvidas sobre o que o apóstolo Paulo quis dizer exatamente quando afirmou: "Não vos ponhais em jugo desigual com os incrédulos; porquanto que sociedade pode haver entre a justiça e a iniquidade? Ou que comunhão, da luz com as trevas?" (2Co 6.14). Será que essa passagem se aplica de fato ao casamento? Para uma compreensão desse mandamento, precisamos analisar a metáfora de Paulo.

O jugo a que se refere o versículo era uma canga que se colocava no boi quando o animal puxava o arado. O objetivo era preparar a terra para fins agrícolas. Quando ia-se treinar um boi novo, pegava-se uma canga dupla e colocava-se o animal ao lado de um boi velho. Assim, o veterano, já acostumado ao processo de aragem da terra, caminhava ao lado do novo, que estava ali para aprender com o mais experiente. O jugo era o que juntava os dois animais a fim de que, juntos, desempenhassem a tarefa. Jugo desigual seria atar um animal maior a outro muito pequeno, ou um ligeiro a outro lento, o que acabava atrapalhando todo o processo. Assim, era necessário tomar dois bois compatíveis, para que a aragem fosse bem-sucedida.

Ao usar essa figura, Paulo quer nos dizer que não devemos nos meter num jugo com os incrédulos, porque seria desigual. Teríamos, por um lado, uma pessoa cristã, adepta de valores orientados pela Palavra de Deus, que teme e serve ao Senhor Jesus Cristo, ligada a um indivíduo que o apóstolo chama de "incrédulo", que não crê em Jesus Cristo e não possui os mesmos valores e princípios. Realmente trata-se de uma situação complicada, que não dá certo.

A crença religiosa, particularmente o cristianismo, é algo muito forte, que mexe com todos os aspectos da vida de uma pessoa. A religião influenciará tudo, de negócios, trabalho, amizades e a maneira como se veste até o comportamento em público. Portanto, estar ligado de modo formal a outra pessoa que pensa e age radicalmente diferente de você não dá certo. Este é o ensino de Paulo: não devemos nos colocar em situações de jugo desigual, pois essa relação não funciona.

Mas que tipo de jugo em particular Paulo tinha em mente? Muita gente entende que essa passagem tem como alvo principal o casamento. O matrimônio é, de fato, uma espécie de jugo, no bom sentido. É uma aliança, um acordo para uma caminhada em unidade. É uma situação em que um homem e uma mulher estão ligados. No caso particular de um crente ligado pelos laços matrimoniais a um descrente, é uma relação desigual. Há princípios e valores que são bastante diferentes e que tocam em áreas cruciais em um casamento. Por exemplo, quando o cristão estiver angustiado e aflito, ele não poderá contar com o apoio espiritual e as orações do cônjuge incrédulo. Na hora de educar os filhos, o que será ensinado? O que será apresentado como certo e o que será classificado como errado? Certamente, o cristão terá uma posição diversa da do cônjuge incrédulo.

A leitura do contexto da passagem revela, porém, que o apóstolo não estava pensando necessariamente em casamento, embora o princípio seja, sim, aplicável ao casamento. A igreja de Corinto estava sendo invadida por falsos mestres, que se diziam apóstolos. Eram emissários de Jerusalém que ensinavam outro evangelho, o do legalismo. Tais homens diziam aos coríntios convertidos mediante a pregação do evangelho da graça feita por Paulo que estes deveriam se circuncidar e guardar a Lei de Moisés para que pudessem, de fato, ser salvos e aceitos por Deus. E o pior é que os coríntios estavam aceitando esses mestres e rejeitando Paulo. Portanto, quando o apóstolo diz que eles não deveriam se pôr em jugo desigual com os incrédulos, está alertando para que não aceitassem que tais homens fossem seus líderes. Vemos, então, que o contexto histórico da segunda carta aos coríntios é contra os falsos mestres; trata-se de uma advertência para que os cristãos não se coloquem debaixo da autoridade, da mentoria, do ensino e do ministério de pessoas que professam um falso evangelho.

É importante perceber que, após o apóstolo registrar que seus leitores não deveriam se colocar em jugo desigual com os incrédulos, ele pergunta que sociedade pode haver entre luz e trevas, entre o templo de Deus e a casa dos ídolos. Ao fazer isso, Paulo queria mostrar que aqueles falsos mestres eram emissários das trevas, emissários de Satanás. Mais adiante, nessa mesma carta, o apóstolo dirá que esses homens eram, na verdade, "ministros de Satanás".

O princípio presente na passagem em análise pode ser aplicado a outras situações, a outras áreas da vida. Entretanto, devemos ser cautelosos, para não incorrer num erro que esteve presente em determinados períodos da história da igreja:

muitos entenderam que Paulo estava dizendo que não deveríamos ter relacionamento algum com o incrédulo. Um dos resultados dessa ideia errônea foi a criação de mosteiros e a opção por uma vida em isolamento por parte de gente sincera e temente a Deus. Essas pessoas preferiram se retirar da sociedade e ir para os desertos e para as montanhas, a fim de cultivar uma vida de solitude, meditação e contemplação.

Não é possível viver em sociedade e aplicar o critério do jugo desigual. O aluno cristão que está em sala de aula assistindo a lições do professor ateu é um exemplo. Podemos citar ainda o financiamento de um carro em uma concessionária cujo dono é idólatra. Somos seres sociais e estamos inseridos nas mais diversas relações sociais, no cotidiano. Paulo escreveu: "Já em carta vos escrevi que não vos associásseis com os impuros; refiro-me, com isto, não propriamente aos impuros deste mundo, ou aos avarentos, ou roubadores, ou idólatras; pois, neste caso, teríeis de sair do mundo. Mas, agora, vos escrevo que não vos associeis com alguém que, dizendo-se irmão, for impuro, ou avarento, ou idólatra, ou maldizente" (1Co 5.9-11). Eu diria que essa restrição é muito mais no sentido de não nos identificarmos e não andarmos com pessoas que se dizem crentes, mas vivem como se fossem pagãs. Portanto, não se trata de uma ordem para que não tenhamos relações sociais de qualquer espécie com quem não é crente, mas que tenhamos cuidado com tais relacionamentos — seja na escolha da pessoa com quem nos casaremos, seja ao fazer uma sociedade empresarial.

SEXO ANTES DO CASAMENTO

Uma das práticas bíblicas defendidas pela igreja evangélica em geral é que o sexo se dá de maneira correta exclusivamente dentro da relação matrimonial, entre um homem e uma mulher casados. Para entendermos por que a Bíblia proíbe o sexo entre os não casados, temos de começar definindo a palavra "sexo". Para muitos, o sexo se resume ao ato biológico, físico. Seria apenas o ato de ir para a cama com uma pessoa.

À luz da Bíblia, sexo não é somente esse componente físico, mas, também, um meio de comunicação, relacionamento, prazer mútuo e fortalecimento dos laços entre um homem e sua mulher. Portanto, segundo as Escrituras, o sexo é muito mais que uma relação de corpos, mas de alma e mente. Faz parte de um "pacote" maior, que a Bíblia chama de "casamento". Casamento também é, à luz das Sagradas Escrituras, a união de um homem e uma mulher, que se propõem, diante de Deus e da sociedade, a constituir uma família. E, por meio dessa família, honrar a Deus. Se tiverem filhos, o casal se comprometa a criá-los nos caminhos do Senhor, perpetuando a raça humana e a fé no Deus vivo e verdadeiro.

Portanto, a sexualidade está inserida em todo esse contexto, nunca é vista isoladamente. Na sociedade de nossos dias, todos os componentes desse "pacote" vêm sendo descartados. Primeiro, a ideia de casamento, que passou a ser desconsiderada e entendida como algo ultrapassado. Segundo, a ideia de que se trata de uma prática entre um homem e uma mulher. Ganhou força nos últimos anos o conceito de "casamento entre pessoas do mesmo sexo". Terceiro, a questão da fidelidade. Em que pese sempre ter havido adúlteros, essa questão estava ligada à honra; hoje, a ideia da fidelidade é bem frágil. Todas essas falácias vêm para diminuir ou para excluir os componentes do grande "pacote" que chamamos de casamento, conforme Deus o instituiu.

Com essa mudança de entendimento acerca do matrimônio, as pessoas passaram a desprezar o compromisso responsável com o outro e a desejar somente o sexo, abstraído de seu contexto original. No entanto, a Escritura Sagrada não vê o sexo como lícito quando considerado isoladamente. Por isso, o sexo na Bíblia não só é permitido, mas encorajado, sempre dentro do casamento.

Fora do casamento e quando há dinheiro envolvido, o sexo é considerado prostituição. Essa prática é claramente condenada pela Palavra de Deus. No Brasil, já tivemos até a tentativa de legalizar e proteger a prostituição, com grupos militando a fim de se criarem bolsas do governo para quem fosse "profissional do sexo". Não quero diminuir a prostituta com minhas palavras, o próprio Jesus disse que as prostitutas e os ladrões entram à frente dos fariseus e escribas no reino dos céus. Claro que Jesus se referia a ladrões e prostitutas arrependidos (Mt 21.28-32). No entanto, não podemos esconder a clareza com que a Bíblia trata a prostituição. É pecado. É uma forma errada de lidar com o sexo.

Uma segunda forma de sexualidade equivocada, contrária à Palavra de Deus, é o adultério. É a prática do sexo fora da relação matrimonial (Êx 20.14).

Outra forma errada é a fornicação, a relação sexual de pessoas não casadas, sem envolver necessariamente dinheiro. Tais indivíduos promovem encontros fortuitos, com o intuito exclusivo de buscar prazer. Obviamente, o ato vem sempre separado do pacote maior do casamento. Trata-se de prática muito comum em nossos dias, em que as pessoas se encontram, sem se importar minimamente com o outro senão como parceiro para uma relação de prazer. Para a sociedade, isso pode ser considerado normal, mas, segundo a Bíblia, é fornicação, um pecado contra Deus (1Co 7.8-9).

O pensamento da sociedade não cristã, que considera normal o sexo fora do matrimônio, está tão disseminado em nossa cultura que até os jovens cristãos transam com suas namoradas, da mesma forma que o descrente. Lamentavelmente, há pastores e igrejas que fazem vista grossa para isso. Essa prática entre cristãos não casados não é normal nem biblicamente correta. O casamento continua sendo uma instituição criada por Deus, cujo elemento principal é o compromisso diante de Deus e da sociedade. Lembrando que quem faz o casamento é o Estado: é um ato civil, com a bênção da igreja.

É triste constatar que muitos pensam no sexo em nossos dias como um *test drive* antes do casamento. Muitos jovens alegam exatamente que estão fazendo apenas um teste para verificar se a parte sexual será satisfatória no casamento. Isso é um equívoco, porque, se a pessoa que você namora é a certa, sexo será a menor de suas preocupações. A maior parte do casamento tem a ver com relacionamento, amizade, companheirismo, afinidade de espíritos, perdoar e ser perdoado, compreender o outro, criar filhos, lidar com finanças e outros aspectos. Se uma pessoa está realmente interessada em conhecer outra, a fim de verificar a possibilidade e a viabilidade de se casarem, deveria investir em todas essas outras áreas do casamento, pois todas são importantes e consomem quase a totalidade do tempo do casal.

Querer ter relações sexuais antes do casamento para testar como será essa questão na vida matrimonial revela uma ignorância muito grande sobre o que seja casamento. A maior parte dos matrimônios dissolvidos não termina por causa de sexo, mas porque os cônjuges não sabem se acertar, não se prepararam para viver juntos e crescer juntos nas adversidades, não sabem administrar o orçamento, não concordam com a maneira certa de criar os filhos, e outras razões como essas.

DIVÓRCIO E NOVO CASAMENTO

O divórcio é uma prática que vem crescendo muito no Brasil. Os números oficiais são muito preocupantes, pois dão conta de que mais de quinhentos casais se separam por dia no país. Houve época em que esses números eram maiores entre os não protestantes. Hoje em dia, as estatísticas praticamente equiparam os evangélicos ao restante da sociedade. Se há diferença, é muito pouca. Por isso, devemos analisar a questão bem de perto e à luz das Escrituras.

Certa vez, alguns líderes religiosos judeus questionaram Jesus acerca do divórcio (cf. Mt 19; Mc 10; Lc 16). Os fariseus se aproximaram do Senhor com uma pergunta capciosa, pois eles "experimentavam" a Jesus (Mt 19.3): um marido poderia repudiar sua mulher por qualquer motivo? Naquela época, havia uma discussão sobre uma passagem de Deuteronômio, que era interpretada de maneiras diferentes. O texto afirma que, se um homem casar com uma mulher e achar nela algo indecente, deve dar carta de divórcio (Dt 24.1-4). A pergunta é: o que é coisa indecente?

Uma linha interpretava que era o adultério, a imoralidade. Outra linha argumentava que poderia ser por motivos tais como o caso de considerá-la má cozinheira. Assim, se o arroz queimasse, seria lícito dar a carta de divórcio. Como havia essa disputa entre duas linhas interpretativas das Escrituras, os fariseus quiseram trazer Jesus para dentro da discussão, com o objetivo de, quem sabe, minar sua popularidade.

A resposta de Jesus, porém, pega todos de surpresa. Disse o Mestre: "Não tendes lido que o Criador, desde o princípio, os fez homem e mulher e que disse: Por esta causa deixará o homem pai e mãe e se unirá a sua mulher, tornando-se os dois uma só carne? De modo que já não são mais dois, porém uma só carne. Portanto, o que Deus ajuntou não o separe o homem" (Mt 19.4-6). A resposta aponta para o fato de que o plano original de Deus é que o casamento seja para sempre. No matrimônio há essa união, que forma uma só carne, determinada pelo Senhor. A conclusão é que, sendo um ato determinado pelo próprio Deus, homem nenhum deveria desfazê-lo.

Os fariseus, não satisfeitos, tentaram encurralar Jesus. Por essa razão, mencionaram o fato de Moisés ter mandado dar carta de divórcio (Mt 19.7). O Senhor responde, esclarecendo ainda por que as pessoas se divorciam tanto (inclusive hoje em dia): por causa da dureza que há no coração delas (Mt 19.8).

Com essa resposta, Jesus pôs o divórcio na conta do coração empedernido da humanidade. Em outras palavras, o que ele quis dizer é que o casamento teria solução se houvesse humildade, quebrantamento, verdadeira busca de Deus, disposição de perdão e aceitação, reconhecimento de erros e vontade de resolver os problemas. Nenhum casamento é tão complicado que esteja além do ponto de redenção e restauração. O problema é a dureza do coração do homem.

As pessoas desistem do casamento hoje em dia por qualquer motivo, e a lei da sociedade facilita o divórcio. O que vemos são casais que não querem se arrepender e crescer juntos, amadurecendo a união em amor e compreensão. O motivo básico do problema, a meu ver, é a falta de reconhecimento de que o matrimônio é uma instituição divina. Foi estabelecido por Deus como base para a sociedade, para a igreja e para a vida do homem em geral.

O final da conversa de Jesus com os fariseus é que o Senhor admite o divórcio, em casos específicos. Muito embora ocorra por causa da dureza do coração, o divórcio ainda assim tem a permissão de Deus, porém, sob determinadas condições muito bem delimitadas: "Eu digo a vocês, quem repudiar a sua mulher não sendo por causa de relações sexuais ilícitas e casar com outra, comete adultério. E quem casar com a repudiada comete adultério" (Mt 19.9-10).

O que Jesus disse é que o alvo de Deus para o casamento é que seja até a morte de um dos cônjuges. Por causa da dureza do coração humano, isto é, nas situações em que o homem ou a mulher buscam o caminho mais fácil para sair do relacionamento que Deus criou para ser perpétuo, então é permitido divórcio, mas só quando há relações sexuais ilícitas. Assim, se há divórcio ("repúdio" na linguagem bíblica) por outro motivo que não sejam relações sexuais extraconjugais, tais como afirmações de que "o amor acabou" ou "há incompatibilidade de gênios" e houver novo casamento, comete-se o pecado do adultério. Diante de Deus, o primeiro casamento, nessa situação, não terminou.

No caso de adultério, os pastores em geral, e aqui eu me incluo, têm como primeira palavra ao casal a reconciliação. O cenário ideal diante de uma situação dessas é que o cônjuge que cometeu adultério demonstre seu arrependimento, peça perdão e busque a reconciliação. Ao cônjuge ofendido, aconselha-se que perdoe e aceite de volta a relação. Não sendo viável, por causa da dureza do coração, é possível procurar e obter divórcio. Nesse caso, a pessoa inocente estaria livre para casar uma segunda vez.

Há uma linha interpretativa dessa situação em nossos dias segundo a qual, em alguns casos, não foi Deus quem efetivou a união. Seus adeptos alegam que o primeiro casamento foi um engano, ocorrido à parte da vontade divina, e que o segundo cônjuge, sim, era o que vinha da parte do Senhor. Essa interpretação, no entanto, é mais embasada na emoção do indivíduo, isto é, na vontade pessoal. Biblicamente falando, todo casamento é de Deus; todo matrimônio é uma união prescrita pelo Senhor. Não deve haver separação.

O casamento merece todo investimento. O que traz o divórcio é a dureza de coração. Se houver disposição de arrependimento, perdão e compreensão, o casamento sempre terá jeito.

Já a questão do novo casamento de uma pessoa divorciada deve ser vista a partir do entendimento correto do que significa divórcio. Podemos defini-lo como a cessação, a quebra ou o encerramento do contrato legal do casamento, feito por ocasião da celebração matrimonial. O divórcio ocorre quando uma ou ambas as partes decidem não permanecer mais casadas. Assim, procuram as autoridades civis constituídas, como ocorre no caso brasileiro, a fim de oficializar a separação.

Embora para muitos isso possa parecer apenas uma questão civil, à luz da Bíblia o casamento é algo muito sério. O divórcio, por consequência, é algo seriíssimo para Deus. Em Malaquias está escrito que Deus odeia o repúdio. Nesse caso, tanto o repúdio do marido pela mulher quanto o da mulher pelo marido (Ml 2.16). E por que Deus odeia o divórcio? Porque o Senhor instituiu o casamento com o propósito de durar até o fim da vida de um dos cônjuges. O intuito divino ao fazê-lo é apresentar a figura da relação de Cristo com a Igreja. O marido representa Cristo, e a mulher representa a Igreja. Da mesma forma que essa relação é eterna, o casamento, como imagem terrena dessa relação, deveria, igualmente, ser uma relação durável e permanente, perpétua.

Como vimos anteriormente, em Mateus 19, Jesus ressaltou que desde o princípio Deus fez homem e mulher, que se uniriam como uma só carne. O que ele quis dizer é que o desejo do Senhor, seu propósito, é o mesmo que se encontra na criação do mundo. Cristo também esclareceu que o Criador só permitiu a Moisés dar carta de divórcio por causa da "dureza do coração humano" (Mt 19.8). Por conhecer a dureza do coração humano e ter compaixão em determinadas situações, Deus permitiu o divórcio em casos específicos: relações sexuais ilícitas. Nesse caso, a pessoa traída poderia se divorciar. Com isso, Jesus estava deixando implícito que, se tivesse havido relação sexual impura, ilegal, injusta da parte de um dos cônjuges, um segundo casamento seria possível, não seria adultério.

Com base nessas afirmações de Jesus é que entendemos que, no caso de adultério, o divórcio é possível. Um segundo casamento, seria, nessas condições, aceitável. Pastores, portanto, estariam livres para celebrar casamentos de pessoas que estão se unindo novamente em matrimônio, caso elas tenham sido traídas por seu cônjuge anterior.

Quando há o adultério, é preciso deixar claro que o divórcio não é obrigatório. O caminho prioritário é o de perdão, arrependimento, mudança de vida, aceitação e reconquista da confiança. Se depois de várias tentativas, por causa da dureza do coração do ser humano, a pessoa traída não consegue se curar dessa ferida profunda e voltar a conviver com seu cônjuge, o divórcio é possível, bem como o segundo casamento.

Muitos perguntam se, caso a pessoa disser que perdoa, mas que não consegue conviver mais, não estaria no fundo negando o perdão. Não vejo dessa forma. Podemos perdoar uma pessoa, ou seja, não lhe atribuímos mais culpa, mas isso não significa, necessariamente, que será possível conviver com a pessoa que errou.

O apóstolo Paulo tratou de uma situação similar em 1Coríntios 7, quando um cônjuge é crente e o outro, descrente. O descrente resolve abandonar o lar, simplesmente decidindo ir embora. Não houve adultério, mas o descrente decidiu que não quer mais manter o casamento por um motivo qualquer. Paulo, neste caso específico, diz que o irmão ou a irmã não está sujeito à servidão. Deus nos chamou à paz. Esse é o entendimento da Confissão de Fé de Westminster, que é a confissão de fé adotada pela Igreja Presbiteriana do Brasil. Essa seria a segunda exceção à regra da indissolubilidade do casamento.

Como diz nossa confissão de fé: "A Igreja Presbiteriana só aceita como causa válida de divórcio e novo casamento casamentos que foram desfeitos por causa de adultério e que não puderam ser resolvidos por causa da dureza de coração ou casos em que a parte descrente abandona a parte crente irremediavelmente". Portanto, nessas duas situações, a pessoa repudiada ou traída poderá se casar uma segunda vez, e o pastor poderá realizar seu matrimônio.

A MULHER E SUA PROFISSÃO

Alguns líderes evangélicos muito influentes alegam que as mulheres não podem trabalhar fora de casa ou nem mesmo frequentar a universidade. Para eles, a mulher deve abrir mão de qualquer profissão a fim de cuidar apenas do lar e dos filhos, conforme determinado a Eva (Gn 3.16). Precisamos pensar sobre isso com cuidado.

Não há dúvida de que a Bíblia favorece os cuidados da mulher casada com o marido e filhos. Isso é claro nas Escrituras. Mas creio que seja ir longe demais na interpretação bíblica o entendimento de que a fé cristã proíba uma função que não seja a de mãe ou esposa, isto é, dona de casa. Há exemplos na Bíblia de mulheres que exerciam outros trabalhos não relacionados diretamente ao doméstico.

Em Provérbios, vemos a descrição da mulher virtuosa como uma pessoa envolvida em negócios, comprando e vendendo propriedades, dando ordens aos seus empregados. Essa mulher está ocupada, além do trabalho doméstico, com outras atividades (Pv 31.14-31). Já no Novo Testamento, lemos sobre Lídia, uma vendedora de púrpura que teve papel fundamental no trabalho de Paulo em Filipos (At 16.14). Ela recebeu o apóstolo e sua comitiva em casa, para que ali funcionasse uma congregação. Aquele era o começo da igreja de Filipos, graças a uma mulher que trabalhava como comerciante. No mesmo livro, lemos a respeito de um casal, Priscila e Áquila, que trabalhavam fazendo tendas (At 18.1-3). Esses exemplos já nos bastam para ilustrar que tanto no relato do Antigo Testamento quanto no do Novo encontramos mulheres tementes a Deus, virtuosas, em meio a atividades outras além das domésticas, conjugais e maternas.

A mulher cristã deve tomar cuidado, porém, para que suas atividades fora de casa não a levem a negligenciar o cuidado com o marido e os filhos. Claro que a criação dos filhos não é obrigação somente das mães, mas, quando pai e mãe estão intensamente envolvidos em crescer profissionalmente e adquirir bens, os filhos acabam sendo criados por televisão, babá, avó, parentes ou outra pessoa qualquer. E isso é errado.

Penso que essa seja a razão pela qual a Bíblia sempre enfatiza o papel da mulher como mãe e esposa. Por exemplo, em Tito, Paulo recomenda que as mais velhas ensinem as mais novas a serem boas donas de casa, a amarem os maridos e a criarem os filhos da maneira correta, isto é, sob a vontade de Deus (Tt 2.1-5). Portanto, vejo que a Bíblia não proíbe que a mulher tenha um trabalho além do doméstico, mas, se a mulher deseja se casar, então sua prioridade deve ser a família. O objetivo é que os filhos não sejam criados de qualquer maneira, sem orientação da mãe ao longo do dia, sem carinho e atenção devidos. E que a esposa não negligencie a atenção ao seu marido.

É errado menosprezar mães que optam por apenas trabalhar no lar. Isso é algo cultural, uma lamentável consequência da desvalorização que a instituição do casamento vem sofrendo. A visão tradicional de casamento — um homem, uma mulher e seus filhos, sendo o homem o principal provedor do lar — é um entendimento que está sob ataques furiosos todos os dias.

O movimento feminista insiste que a mulher deve se libertar do "domínio machista e patriarcal do homem". Acusa o homem de ter definido o papel da mulher como sendo apenas do lar. O problema é que o movimento feminista foi muito além de tentar conquistar direitos para as mulheres, o que é lícito e justo. A questão é que as feministas radicais desconsideram por completo o papel das mulheres como ajudadoras do marido e cuidadoras dos filhos. Essas ideias têm afetado tanto a família e o casamento que os filhos estão cada vez mais crescendo sem pai nem mãe, e muitos maridos acabam isolados na solidão de seu lar.

SUBMISSÃO FEMININA

As mulheres devem ser submissas aos maridos. Muitas feministas radicais afirmam que essa determinação bíblica faz parte de um absurdo discurso machista. Nada mais distante da verdade. Machismo existe quando a mulher é degradada, humilhada e diminuída apenas por ser mulher e não homem. Essa passagem revela, na realidade, a vontade de Deus quanto ao papel da mulher no casamento.

O texto diz: "As mulheres sejam submissas ao seu próprio marido, como ao Senhor; porque o marido é o cabeça da mulher, como também Cristo é o cabeça da igreja, sendo este mesmo o salvador do corpo. Como, porém, a igreja está sujeita a Cristo, assim também as mulheres sejam em tudo submissas ao seu marido" (Ef 5.22-24). Para entendermos essa questão corretamente, precisamos dar algumas explicações.

Quando a Bíblia diz que as mulheres devem em tudo ser submissas a seus maridos, quer dizer em tudo *o que for legítimo*. A Escritura afirma que antes devemos obedecer a Deus que aos homens (At 5.29). Logo, minha consciência está presa a Deus e à sua Palavra. Nenhum marido pode exigir de uma mulher que faça algo contrário à vontade divina. Assim, quando Paulo diz que as mulheres devem ser em tudo submissas a seus maridos, refere-se a tudo o que é lícito e legítimo. Um marido que deseja que sua mulher se prostitua, fraude negócios no trabalho, sonegue tributos e coisas semelhantes faz que ela esteja livre para desobedecer-lhe, uma vez que estaria desobedecendo a seu marido por estar obedecendo à lei maior de Deus.

O conceito de "submissão" significa o ato de estar debaixo da orientação, da direção, de algo ou alguém. No que tange às mulheres, é bom lembrar que esse mandamento foi dado no momento em que Paulo estava tratando dos papéis recíprocos dos homens e das mulheres no casamento. Logo em seguida ao texto que trata da submissão das mulheres, o apóstolo trata das obrigações para com as esposas: "Maridos, amai vossa mulher como Cristo amou a igreja" (Ef 5.25). Ora, um marido que ama sua mulher não se valerá da submissão dela para oprimi-la, desprezá-la ou rejeitá-la.

Quando maridos e esposas seguem fielmente seu papel bíblico no âmbito do casamento — o marido amando a esposa como Cristo amou a igreja, e a esposa respeitando seu marido e se submetendo a ele —, tem-se um relacionamento equilibrado, um lar que funciona como deve funcionar. Isso porque é muito fácil se submeter a quem se ama, e torna-se fácil amar quem nos é submisso.

Esse cumprimento recíproco de papéis é o que Deus tem em mente. Não deveríamos tirar de contexto o texto da submissão, porque ele pode se perder em interpretações erradas. A contrapartida da submissão da esposa é o amor incondicional com que o marido deve amá-la, como Cristo amou sua igreja e deu a própria vida por ela.

O papel da mulher dentro desse contexto de submissão é apoiar, sustentar e ajudar o marido no desempenho de sua missão maior, que é a de ser o líder do lar, provedor e protetor de sua família. Esse papel de submissão não é pequeno e insignificante como o da mera aceitação de vontades e caprichos do esposo.

A submissão que se requer da mulher casada no cumprimento do seu papel nunca é subserviente, cega e absoluta. Não é, de maneira alguma, escravidão. Mas é uma compreensão clara de que esse é o seu papel de ajudadora, companheira do marido. O ideal no casamento é quando o casal decide em comum acordo. Mas será necessário, em determinados momentos no casamento, que o marido exerça a liderança, pois foi ele que Deus estabeleceu como aquele que dá a direção à família.

A Bíblia não determina que a mulher seja submissa ao marido por uma razão meramente cultural. Não são poucas as pessoas que alegam que essa orientação bíblica foi fruto do contexto histórico da época de Paulo. As razões são, em primeiro lugar, devocionais. Paulo diz que a mulher deve se sujeitar a seu marido "como ao Senhor", expressão que indica que a mulher pratica essa sujeição como parte do culto a Cristo. Portanto, é algo voluntário, de coração, muito embora não seja feito de forma absoluta, da mesma forma como ela faz a Cristo. É por isso que mulheres que estão submissas a Jesus em seu coração terão melhores condições de se submeter ao marido. Geralmente, esposas que se rebelam contra essa determinação bíblica não estão plenamente sujeitas ao senhorio de Cristo.

Há também uma razão teológica para a submissão. A esposa deve ser submissa ao marido porque ele é o cabeça da mulher (1Co 11.3). A palavra "cabeça" é uma analogia para aquele que está na liderança. Deus criou a sociedade humana de forma hierárquica. O Estado é estruturado com hierarquias, bem como a igreja e a família. Essa realidade reflete um princípio da própria Trindade, embora não de maneira hierárquica. O Pai envia o Filho, e os dois enviam o Espírito Santo. Pai, Filho e Espírito Santo são iguais, mas exercem funções diferentes.

A razão pela qual essas funções são diferenciadas vem desde a criação. O relato da criação, nos dois primeiros capítulos de Gênesis, diz que Deus primeiro criou o homem, dizendo que não era bom que ele estivesse só (Gn 2.18). Também afirmou que faria uma companheira que estivesse diante dele. Do homem, Deus tira a mulher para ser sua cooperadora, aquela que o completaria. Juntos, eles povoariam a terra e organizariam a criação que Deus havia acabado de fazer, colocando o casal como os gerentes de tudo o que fora criado: ele como líder e ela como ajudadora. E é assim que deve ser, em todas as épocas e em todas as culturas.

SOBRE O AUTOR

Augustus Nicodemus Lopes é pastor titular da Primeira Igreja Presbiteriana de Goiânia (GO), escritor e professor convidado do Centro Presbiteriano de Pós-Graduação Andrew Jumper. É vice-presidente do Supremo Concílio da Igreja Presbiteriana do Brasil. Casado com Minka Schalkwijk, é pai de Hendrika, Samuel, David e Anna.

Obras do mesmo autor:

- O que estão fazendo com a igreja
- O ateísmo cristão e outras ameaças à igreja
- Polêmicas na igreja
- Cristianismo simplificado
- Cristianismo facilitado
- Cristianismo bem explicado
- O que a Bíblia fala sobre dinheiro
- O que a Bíblia fala sobre oração
- Confissões de um pregador

Compartilhe suas impressões de leitura escrevendo para:
opiniao-do-leitor@mundocristao.com.br
Acesse nosso *site*: www.mundocristao.com.br

Equipe MC: Maurício Zágari (editor)
Heda Lopes
Natália Custódio
Diagramação: Luciana Di Iorio
Preparação: Cristina Fernandes
Revisão: Luciana Chagas
Gráfica: Imprensa da Fé
Fonte: Adobe Garamond Pro
Papel: Pólen Natural 70 g/m² (miolo)
Cartão 250 g/m² (capa)